4.95

CLASSIQUES LAROUSSE

Collection fondée en 1933 par FÉLIX GUIRAND
continuée par
LÉON LEJEALLE (1949 à 1968) et JEAN-POL CAPUT (1969 à 1972)
Agrégés des Lettres

LAMARTINE

MÉDITATIONS POÉTIQUES

choix de poèmes

avec une Notice biographique, une Notice historique et littéraire,
un Lexique, des Notes explicatives, une Documentation thématique, des Jugements,
un Questionnaire et des Sujets d'exposés et de dissertations,

par

Mme SUZETTE JACRÈS
Agrégée des lettres

D1622168

LIBRAIRIE LAROUSSE

17, rue du Montparnasse, 75298 PARIS

RÉSUMÉ CHRONOLOGIQUE
DE LA VIE DE LAMARTINE
1790-1869

1790 — **Naissance à Mâcon**, le 10 octobre, d'**Alphonse de Lamartine**, fils du chevalier Pierre de Lamartine et d'Alix des Roys, femme très pieuse et charitable. Lamartine sera l'aîné de cinq sœurs.

1793 — Sous la Terreur, le chevalier est incarcéré. L'enfant et sa mère séjournent dans la Marne.

1797 — Installation modeste à Milly. L'abbé Dumont apprend à Lamartine les rudiments du latin.

1801-1808 — Études à la pension Puppier, à Lyon (1801-1802), puis au collège des Pères de la foi (d'obédience jésuite) à Belley (Ain). Grande **ferveur religieuse** (favorisée par la lecture de Chateaubriand).

1808-1812 — Lamartine ne veut pas entrer au service de l' « Usurpateur »; à Milly et à Lyon, il vit en **aristocrate oisif**, lit Voltaire, Rousseau, les poètes du XVIIIᵉ siècle, Ossian, Mᵐᵉ de Staël. Il **devient libertin.** — Séjour à Rome, puis à Naples (1811-1812). Rencontre de celle qu'il évoquera dans *Graziella*.

1813-1816 — Toujours sans emploi, Lamartine s'adonne à la poésie (*Élégies*) et écrit deux tragédies. — Au retour des Bourbons, il est nommé garde du corps de Louis XVIII. — Pendant les Cent-Jours, il se réfugie sur les bords du Léman. Après Waterloo, il démissionne et regagne Paris et ses plaisirs.

1816-1817 — A Aix-les-Bains, où il est venu se soigner, il **rencontre (octobre 1816)** la jeune femme d'un savant physicien, **Julie Charles,** atteinte de tuberculose. — Janvier 1817 : il fréquente le salon de Mᵐᵉ Charles à Paris. Ils promettent de se revoir à Aix. — En août-septembre, Lamartine l'y attend en vain (« le Lac ») : trop atteinte désormais pour voyager, Julie Charles mourra à Paris le 18 décembre 1817.

1818-1819 — **Crise sentimentale et religieuse :** Lamartine pleure Mᵐᵉ Charles et cherche la foi. Il a écrit *Saül* (1817-1818), tragédie biblique, où se retrouvent les deux hommes qui luttent en lui : le révolté et le résigné. Il écrit l'essentiel des *Méditations*. — Il renonce définitivement à la dissipation et décide de vivre en chrétien. En 1819, il rencontre une jeune Anglaise, Marianne Elisa Birch, qui s'éprend de lui.

1820 — Parution des *Méditations poétiques* (mars). Immense succès. Lamartine est nommé attaché d'ambassade à Naples. Le 6 juin, il **épouse Elisa Birch** à Chambéry.

1821-1823 — Départ pour l'**Italie.** Naissance d'un fils (1821), qui mourra en 1822; Lamartine rentre en France. — 1822 : naissance de sa fille Julia. — 1823 : les *Nouvelles Méditations poétiques* et *la Mort de Socrate*, où Lamartine tente une synthèse du platonisme et du christianisme. Il commence un grand poème, qui sera « l'épopée de l'âme », *les Visions.*

1825-1828 — Il publie *le Dernier Chant du pèlerinage d'Harold*, suite à l'œuvre de Byron, et le *Chant du sacre* en l'honneur de Charles X. — Secrétaire d'ambassade à Florence, il prend à cœur ses fonctions de diplomate. Période de bonheur serein, où il compose les *Harmonies.*

1829 — Rentré en France, Lamartine est **élu à l'Académie.** Mort de sa mère.

1830 — *Harmonies poétiques et religieuses* (juin). — Les journées de Juillet ne surprennent pas Lamartine, qui prête serment à Louis-Philippe, par goût de l'ordre, mais donne sa démission de diplomate pour reprendre sa liberté et se consacrer à la politique militante.

© *Librairie Larousse*, 1973.   ISBN 2-03-870078-8

1831 — Triple échec à la députation à Bergues (Nord), à Toulon et à Mâcon. *Ode à Némésis*, où il affirme pour le poète le devoir d'agir. Il publie aussi un manifeste : *De la politique rationnelle*.

1832-1833 — Il s'embarque **pour l'Orient** (été 1832), qui servira de cadre à son grand poème épique. Mort de sa fille Julia à Beyrouth. — Lamartine **se détache du catholicisme.** — Il revient en 1833. En son absence, il **a été élu député** de Bergues. Il siégera à la Chambre jusqu'en 1851.

1834-1839 — Lamartine essaie de concilier la poésie et la politique. Dans les *Destinées de la poésie* (1834), il affirme la nécessité d'une poésie sociale, dont il donnera l'exemple avec *Jocelyn* (1836), épisode de son grand poème épique, qui remporte un immense succès. Cependant, son déisme le fait mettre à l'index, ainsi que le *Voyage en Orient* (publié en 1835). — Autre épisode du grand poème épique : *la Chute d'un ange*, publié en 1838. Mais ce poème inégal déconcerte. — En 1839, l'**échec des Recueillements poétiques** est pire. Lamartine opte pour la politique seule. Il écrit cependant une tragédie moderne, plaidoyer en faveur des Noirs, qui ne sera représentée qu'en 1850 sous le titre de *Toussaint Louverture*.

1839-1848 — Partisan de réformes sociales, mais fermement attaché à la propriété, Lamartine veut « sans violence, mais avec hardiesse et avec foi », réaliser un idéal de fraternité et de paix. En 1840, il condamne la politique belliqueuse de Thiers, dans quatre articles sur *la Question d'Orient, la guerre et le ministère*; dans *la Marseillaise de la paix* (1841), il lance un appel à la coopération européenne, et, en **1843**, rompant avec le régime, il **se rallie à la gauche.** — Il écrit l'*Histoire des Girondins*, où il dissocie la Révolution de la Terreur. Parus de mars à juin 1847, ces huit volumes soulèvent l'enthousiasme.

1848 — Au lendemain de l'émeute du 24 février, Lamartine fait adopter la République. Nommé **Ministre des Affaires Étrangères**, il dirigera en fait le gouvernement provisoire. Le 25 février, il **repousse le drapeau rouge** des émeutiers socialistes, pour conserver le drapeau tricolore. Le 4 mars, son *Manifeste aux puissances* proclame sa volonté de paix. — En avril, il est **élu par dix départements avec 1 600 000 voix** à l'Assemblée constituante. Mais celle-ci est en majorité bourgeoise. Lamartine refuse d'abandonner le prolétariat, d'où sa chute : après l'insurrection ouvrière du 23 juin, l'Assemblée remet tous les pouvoirs au général Cavaignac. — Le 6 octobre, bien que prévoyant l'arrivée au pouvoir de Louis Napoléon, Lamartine réclame loyalement l'élection du président de la République au suffrage universel. Il n'obtiendra pour lui-même que **18 000 voix.**

1849 — Accablé de dettes, Lamartine se condamne aux « travaux forcés littéraires ». Il publie des œuvres autobiographiques : *les Confidences, Graziella* (écrit en 1844), *Raphaël*. Il édite ses *Œuvres choisies* (édition des Souscripteurs), où il ajoute aux *Méditations* des *Commentaires* biographiques.

1851-1868 — Après le coup d'État, il refuse son concours à l'empereur. Il a publié des romans sociaux : *Geneviève, le Tailleur de pierres de Saint-Point* (1851); il va se consacrer à des ouvrages d'histoire : *Histoire de la Restauration* (1851-1853), *Histoire des Constituants* (1852), *Histoire de la Turquie* (1854), *Histoire de la Russie* (1855), et à des publications périodiques : *le Civilisateur* (1852-1854) et le *Cours familier de littérature* (de 1856 à sa mort), dans lequel il inclura quelques poèmes (« la Vigne et la Maison », 1857). — En 1860, il vend Milly. — En 1867, le Corps législatif lui alloue une rente viagère de 25 000 francs.

1869 — **Il meurt** le 28 février **à Paris** avec le crucifix d'Elvire sur les lèvres. Il est **enseveli à Saint-Point.**

Lamartine avait vingt-deux ans de moins que Chateaubriand, sept ans de plus que Vigny, huit ans de plus que Michelet, douze ans de plus que Victor Hugo, vingt ans de plus qu'Alfred de Musset et vingt-huit ans de plus que Leconte de Lisle.

ALPHONSE DE LAMARTINE ET SON TEMPS

	la vie et l'œuvre de Lamartine	le mouvement intellectuel et artistique	les événements politiques
1790	Naissance d'Alphonse de Lamartine à Mâcon (21 octobre).	Bernardin de Saint-Pierre : *la Chaumière indienne.* Florian : *le Bon Père.*	Fête de la Fédération nationale (14 juillet). Constitution civile du clergé.
1811	Voyage en Italie. Rencontre de Graziella.	Chateaubriand : *Itinéraire de Paris à Jérusalem.* Goethe : *Poésie et vérité.*	Naissance du roi de Rome (20 mars).
1814	Il entre aux gardes du corps, en garnison à Beauvais.	Chateaubriand : *De Buonaparte et des Bourbons.* Stendhal à Milan.	Campagne de France. Abdication de Napoléon. Première Restauration.
1816	Rencontre de Julie Charles à Aix-les-Bains (octobre).	B. Constant : *Adolphe.* Byron : *le Pèlerinage de Childe Harold* (ch. III). W. Scott : *l'Antiquaire.* Rossini : *le Barbier de Séville.*	Dissolution de la Chambre introuvable.
1819	Rencontre de Marianne Elisa Birch. Le duc de Rohan l'entraîne à La Roche-Guyon pour la semaine sainte.	Publication des œuvres d'A. Chénier. J. de Maistre : *Du pape.* Traduction française de Byron.	Lois de Serre sur la presse. En Allemagne, assassinat de Kotzebue par l'étudiant libéral Sand.
1820	Nommé attaché d'ambassade à Naples. *Les Méditations* (mars). Il se marie (juin).	M. Desbordes - Valmore : *Poésies.* V. Hugo : premières *Odes.* Ch. Nodier : romans et nouvelles. La Vénus de Milo apportée à Paris.	Assassinat du duc de Berry (février). Démission de Decazes. Mesures de répression. Soulèvements à Cadix et à Naples.
1823	*Les Nouvelles Méditations. La Mort de Socrate.*	A. de Vigny : *Poèmes.* H. de Balzac : *l'Héritière de Birague* (premier roman). Stendhal : *Racine et Shakespeare.* Premiers succès de Delacroix au Salon.	Prise du Trocadéro à Cadix par les Français. Déclaration de Monroe. Fin de la Charbonnerie.
1825	*Epîtres. Le Dernier Chant du pèlerinage d'Harold. Chant du sacre ou la Veille des armes.* Départ pour Florence.	P. Mérimée : *Théâtre de Clara Gazul.* A. Thierry : *Histoire de la conquête de l'Angleterre.* Mort du peintre David.	Sacre de Charles X. Loi du sacrilège. En Grèce, résistance de Missolonghi. Mort du tsar Alexandre Ier.
1830	*Harmonies poétiques et religieuses.* Reçu à l'Académie française.	Bataille d'*Hernani.* Th. Gautier : *Poésies.* A. Comte : *Cours de philosophie positive.*	Prise d'Alger. Révolution de Juillet. Révolutions en Belgique (août) et en Pologne (novembre).
1832	Départ pour l'Orient.	A. de Musset : *Un spectacle dans un fauteuil.* G. Sand : *Indiana.* Mort de Goethe, de Cuvier. Mickiewicz à Paris.	Manifestations aux funérailles du général Lamarque. L'armée de Méhémet-Ali victorieuse des Turcs à Konieh.

1834	Il siège à la Chambre comme député de Bergues.	Sainte-Beuve : *Volupté*. La Mennais condamné à Rome après les *Paroles d'un croyant*. H. de Balzac : *le Père Goriot*.	Insurrection d'Avril (Lyon et Paris). Quadruple Alliance (France, Angleterre, Espagne, Portugal).
1836	*Jocelyn*.	A. de Musset : *la Confession d'un enfant du siècle*. A. Dumas : *Kean*. Leopardi : *La Ginesta* (son dernier poème).	Ministère Thiers.
1838	*La Chute d'un ange*.	V. Hugo : *Ruy Blas*. Liaison de Chopin et de George Sand. E. A. Poe : *Arthur Gordon Pym*.	Formation de la coalition contre Molé.
1839	*Recueillements poétiques*.	Louis Blanc : *l'Organisation du travail*. Stendhal : *la Chartreuse de Parme*. Naissance de Cézanne.	Démission de Molé. Ministère Soult. Arrestations de Barbès et Blanqui. Agitation chartiste en Angleterre.
1842	Il passe à l'opposition. Il prédit la révolution.	E. Sue : *les Mystères de Paris*, H. de Balzac : *Ursule Mirouet*. Aloysius Bertrand : *Gaspard de la nuit*.	Protectorat français à Tahiti.
1844	*Graziella*.	Montalembert : *le Devoir des catholiques*.	
1847	*Histoire des Girondins*. Banquet de Mâcon en son honneur.	J. Michelet : *Histoire de la Révolution*. A. de Musset : *Un caprice*. Emily Brontë : *Wuthering Heights*.	Campagne des banquets.
1848	Discours sur le drapeau rouge. Membre du gouvernement provisoire. Échec à la présidence de la République.	A. Dumas fils : *la Dame aux camélias*. Mort de Chateaubriand. Publication des *Mémoires d'outre-tombe*.	Révolution de Février. Révolutions en Italie, dans l'Empire autrichien et en Allemagne.
1851	Il quitte la vie politique. *Le Tailleur de pierres de Saint-Point*.	H. Murger : *Scènes de la vie de bohème*. Fuite de Victor Hugo. Ruskin : *Préraphaélitisme*.	Coup d'État de Louis Napoléon.
1867	Le gouvernement impérial lui accorde une rente.	E. Zola : *Thérèse Raquin*. Premiers articles de critique d'A. France. Karl Marx : *le Capital*.	Concessions libérales de Napoléon III. Exécution de Maximilien à Querétaro.
1869	Mort de Lamartine (28 février).	Verlaine : *Fêtes galantes*. Lautréamont : *les Chants de Maldoror*. G. Flaubert : *l'Éducation sentimentale*. Mort de Berlioz. Naissance de Gorki.	Gambetta élu. Démission de Rouher. Inauguration du canal de Suez. Congrès socialiste de Bâle.

BIBLIOGRAPHIE SOMMAIRE

PRINCIPALES ÉDITIONS

Gustave Lanson · *les Méditations* (Paris, Hachette, coll. « les Grands Écrivains de la France », 2 vol., 1915).

Jean des Cognets · *Méditations poétiques* (Paris, Garnier, 1956).

Marius-François Guyard · *Œuvres poétiques complètes* (Paris, Gallimard, Bibl. de la Pléiade, 1963).

OUVRAGES D'HISTOIRE LITTÉRAIRE ET DE CRITIQUE

Léon Séché · *Lamartine de 1816 à 1830* (Paris, Mercure de France, 1905).

Henri Guillemin · *Lamartine, l'homme et l'œuvre* (Paris, Boivin, 1940). — *Connaissance de Lamartine* (Fribourg, Suisse, Librairie de l'Université, 1942).

Marius-François Guyard · *Alphonse de Lamartine* (Bruxelles, Éd. universitaires, 1956).

Pierre Moreau · *Amours romantiques* (Paris, Hachette, 1963).

Gonzague Truc · *Lamartine* (Bruxelles, la Renaissance du livre, 1968).

Maurice Toesca · *Lamartine ou l'Amour de la vie* (Paris, Albin Michel, 1969 ; rééd., 1984).

Lofty Fam · *Lamartine, le livre du centenaire* (Paris, Flammarion, 1971).

MÉDITATIONS POÉTIQUES
1820-1823

NOTICE

CE QUI SE PASSAIT ENTRE 1820 ET 1823

■ **EN POLITIQUE. En France :** Louis XVIII règne depuis 1815. L'assassinat du duc de Berry, neveu du roi, le 13 février 1820, provoque la réaction du parti ultra. Après la démission du ministre libéral Decazes, le duc de Richelieu, puis Villèle, fortement appuyés par une majorité ultra issue de nouvelles élections, poursuivent une politique destinée à réduire les quelques libertés octroyées par la Charte : restriction de la liberté individuelle, nouvelle loi électorale de juin 1820; rétablissement de la censure et loi de 1822, supprimant pratiquement la liberté de la presse. L'opposition, impuissante au Parlement, se défend par des pamphlets (Paul-Louis Courier), par des chansons (Béranger) et passe à l'action clandestine : l'association secrète de la Charbonnerie se constitue dès 1821 et suscite plusieurs mouvements en 1822, mais sans succès. L'exécution des quatre sergents de La Rochelle est l'épisode le plus marquant de la répression. — Chateaubriand est nommé ministre des Affaires étrangères (1822).

À l'étranger : Les régimes réactionnaires, mis en place après la chute de Napoléon par le congrès de Vienne, doivent faire face à des révoltes libérales. En Espagne Ferdinand VII (janvier 1820), à Naples Ferdinand I er (juillet 1820), à Turin Victor-Emmanuel I er (mars 1821) doivent faire des concessions aux mouvements révolutionnaires menés par l'armée. Mais après les congrès de Troppau (octobre-décembre 1820) et de Laybach (janvier 1821), animés par Metternich, les troupes autrichiennes restaurent l'absolutisme dans les deux royaumes italiens. En Espagne, conformément aux décisions du congrès de Vérone (septembre-décembre 1822), où l'influence de Chateaubriand fut déterminante, c'est l'armée française qui intervient (avril-novembre 1823) et rétablit l'absolutisme.

La Grèce se soulève contre les Turcs (1821) et proclame son indépendance (1822) : massacre des Turcs de Tripolitza (1821) et des Grecs de Chio (1822).

En Amérique du Sud, les anciennes colonies espagnoles, en lutte contre la métropole depuis 1809, remportent des victoires décisives pour leur indépendance. Le Brésil se sépare du Portugal et prend pour empereur (1822) Dom Pedro, fils du roi de Portugal. La déclaration de Monroe (1823) traduit la détermination des États-Unis de ne tolérer aucune intervention étrangère sur le continent américain.

■ **EN LITTÉRATURE. En France :** *Latouche vient de publier (1819) la première édition d'André Chénier. — 1820 : Augustin Thierry publie dans le Courrier français les Lettres sur l'Histoire de France. Ch. Nodier fait paraître, après Jean Sbogar, Adèle et Lord Ruthwen ou les Vampires. — 1822 : V. Hugo, Odes; A. de Vigny, Moïse. — 1823 : Hugo fait paraître Han d'Islande.*

Création du théâtre du Gymnase ou théâtre de Madame, dont Scribe va être le fournisseur : Michel et Christine en 1820. — Casimir Delavigne, qui a donné les Vêpres siciliennes en 1819, fait jouer en 1821 le Paria. — Stendhal donne en 1822 et 1823 deux articles qui formeront l'essentiel de sa brochure Racine et Shakespeare.

À l'étranger. *En Allemagne :* Schopenhauer vient de publier le Monde comme volonté et comme représentation (1819). — Goethe fait paraître Wilhelm Meister en 1821, et H. Heine ses Poésies en 1822. — En Angleterre : Walter Scott publie Ivanhoe en 1820. En Italie, Manzoni fait paraître Carmagnola.

■ ***DANS LES ARTS :*** Géricault a exposé, en 1819, le Radeau de la « Méduse ». *Cette même année, Gérard a peint Corinne au cap Misène.* — *En 1820, Portrait du comte Gourier, par Ingres.* — *En 1822, la Barque de Dante, par Delacroix.*

LES « PREMIÈRES MÉDITATIONS »

NAISSANCE DE L'ŒUVRE ET PUBLICATION

Sous l'Empire, on n'appréciait encore que la poésie dite « classique », héritée du XVIIIe siècle, poésie galante, parfois élégante, mais conventionnelle et insipide. « En ce temps là, aucun poète ne se serait permis d'appeler les choses par leur nom. Il fallait avoir un dictionnaire mythologique sous son chevet, si l'on voulait rêver des vers[1]. » Bertin et Parny « faisaient les délices de la jeunesse. L'imagination [...] ne concevait rien de plus idéal que ces petits vers corrects et harmonieux de Parny, exprimant à petites doses les fumées d'un petit verre de vin de Champagne, les agaceries, les frissons, les ivresses froides, les ruptures, les réconciliations, les langueurs d'un amour de bonne compagnie qui changeait de nom à chaque livre ».

C'est alors que Lamartine commence à écrire : suivant les modèles du jour, il met en vers ses plaisirs et développe des lieux communs.

---

1. Préface des *Méditations* dans l'édition de 1849. Sauf indication contraire, toutes les citations qui suivent sont tirées du même texte.

Il compose ainsi deux volumes d'*Elégies*, qu'il songe à publier en 1816. Quelques pièces, plus émues, étaient dues à différentes inspiratrices : Henriette Pommier[1], sans doute[2], et Graziella[3]. La femme aimée y apparaissait sous le nom conventionnel d'Elvire[4].

Lorsque Lamartine fit la connaissance de Julie Charles (1816), il lui montra ses derniers vers, qui la troublèrent intensément : « Quand on aime, écrivait-elle, comme Elvire et comme moi, jusqu'à en mourir... » L'âme pieuse et inquiète de Julie, sa maladie, puis sa mort devaient marquer profondément la sensibilité du poète : « Je ne descendrai plus de la sphère où elle m'a ravi », confiait-il en 1818[5]. C'est pourquoi, en forçant un peu les mots, il dira rétrospectivement en 1849, à propos de ses *Elégies* : « A peine mes deux beaux volumes étaient-ils copiés que le mensonge, le vide, la légèreté, le néant de ces pauvretés sensuelles plus ou moins bien rimées m'apparut. [...] Dès que j'aimai, je rougis de ces profanations de la poésie. » Il assure que ces poèmes furent alors jetés au feu. Quelques-uns — envoyés à des amis — furent conservés cependant, et certains devaient faire partie des *Méditations*.

A quelques pièces composées du vivant de Julie, en 1817, devaient s'ajouter des chants de douleur après sa mort, en 1818 et 1819, puis d'apaisement; et ce fut l'essentiel du recueil. A la fois par pudeur et pour assurer l'unité des *Méditations*, Lamartine substitua le nom d'Elvire à celui de Julie. C'est celle-ci qui, pour les lecteurs, devait rester l'unique Elvire.

« Le sentiment grave de l'existence et de son but » était né en Lamartine, et sa poésie s'en trouvait transformée. « Je n'imitais plus personne, je m'exprimais moi-même pour moi-même. Ce n'était pas un art, c'était un soulagement de mon propre cœur, qui se berçait de ses propres sanglots. Je ne pensais à personne en écrivant ces vers, si ce n'est à une ombre et à Dieu [...]. Je n'étais pas devenu plus poète, j'étais devenu plus sensible, plus sérieux et plus vrai. C'est là le véritable art : être touché; oublier tout art pour atteindre le souverain art, la nature. »

Au début de 1819, lors d'un voyage à Paris, Lamartine lut quelques-unes de ses pièces dans les salons, mais ce n'est qu'en mars 1820 que paraîtront, sans nom d'auteur, les *Méditations poétiques et religieuses*[6].

Le succès fut immédiat. Le roi, Talleyrand, de nombreux critiques, et surtout « les femmes et les jeunes gens » furent saisis d'enthousiasme : « Le public [...] vit un homme au lieu d'un livre. Depuis

---

1. Fille d'un juge de Mâcon, que le jeune Lamartine aima avec constance de 1810 à 1812, et que l'opposition de ses parents l'empêcha d'épouser; 2. *Le Temple*; 3. La jeune Napolitaine qu'il célèbre sous ce nom s'appelait en réalité Antoniella; 4. Ce pseudonyme semble avoir été en usage chez les poètes du XVIIIe siècle pour désigner une femme dont on veut taire le vrai nom; 5. Lettre à son ami Virieu, 8 août 1818; 6. Intitulées par la suite *Premières Méditations*, par opposition aux *Nouvelles Méditations*.

Jean-Jacques Rousseau, Bernardin de Saint-Pierre et Chateaubriand, c'était le poète qu'il attendait. »

Une deuxième édition parut en avril, contenant deux nouveaux poèmes; cinq autres suivirent en moins d'un an; la neuvième édition, en 1823, s'enrichissait de quatre pièces nouvelles.

CONTENU DU RECUEIL ET TONALITÉ GÉNÉRALE

La première édition, que nous suivons, ne comportait que vingt-quatre poèmes : I, « l'Isolement »; II, « l'Homme : à lord Byron »; III, « le Soir »; IV, « l'Immortalité »; V, « le Vallon »; VI, « le Désespoir »; VII, « la Providence à l'homme »; VIII, « Souvenir »; IX, « l'Enthousiasme »; X, « le Lac de B*** »; XI, « la Gloire »; XII, « la Prière »; XIII, « Invocation »; XIV, « la Foi »; XV, « le Golfe de Baïa, près de Naples »; XVI, « le Temple »; XVII, « Chants lyriques de Saül, imitation des Psaumes de David »; XVIII, « Hymne au Soleil »; XIX, « Adieu »; XX, « la Semaine sainte »; XXI, « le Chrétien mourant »; XXII, « Dieu »; XXIII, « l'Automne »; XXIV, « la Poésie sacrée ». Une dizaine de ces poèmes étaient inspirés par l'amour, à peu près autant par le sentiment religieux. Les autres étaient soit d'anciennes *Élégies*, soit des développements sur le destin du poète en général.

L'ordonnance adoptée s'éloigne de la chronologie véritable[1]. Celle-ci permettrait, sans doute, de mesurer l'évolution de la poésie lamartinienne, de plus en plus personnelle. Mais, à n'envisager que les sentiments, la suite en aurait été plutôt sinueuse. Après les incertitudes amoureuses de la jeunesse (1813-1816), viennent l'amour, l'espoir (1816-1817), puis la douleur (1818), qui, peu à peu, s'atténue (1819) avec l'apparition d'un nouvel espoir (fin 1819 : « l'Automne »). Entre-temps, la foi de Lamartine subit bien des fluctuations. D'autre part, ce déroulement biographique aurait été trop confidentiel (Lamartine désirait-il se raconter, alors que les *Méditations* parurent sans nom d'auteur?) et trop individuel pour offrir un miroir où chaque lecteur pût se reconnaître.

L'auteur choisit donc, pour la présentation de ses poèmes, un ordre logique, ou plutôt psychologique, idéal : il suggère le cheminement de l'âme depuis la souffrance désespérée, la désolation (« l'Isolement »), le doute (« l'Homme »), à travers l'apaisement dans la nature (« le Vallon »), la confiance en l'amour (« Souvenir », « le Lac ») et « la Prière », jusqu'à « la Foi » en « Dieu » que chante « la Poésie sacrée ». Ainsi l'amour est étroitement associé à la foi, et l'ouvrage acquiert une signification philosophique et religieuse, accessible à tous les hommes.

---

1. Voir tableau chronologique, ci-contre.

CHRONOLOGIE DES PREMIÈRES M

Dates	Inspiration amoureuse	Inspiration	Inspiration
Premiers vers (*Élégies*).			
1815 ?			
1815 ?	XVI, le Temple		XI, la Gloire
1816 ?	XVIII, Hymne au soleil		
Après la rencontre de Julie.			
octobre 1816	XIII, Invocation		
fin 1816-mai 1817	X, le Lac	IV, l'Immortalité	
29 août-sept. 1817		XVII, Chants lyriques de Saül	
octobre 1817			
1817-1818			
Après la mort de Julie.			
? août 1818	I, l'Isolement	XIV, la Foi	
août 1818		VI, le Désespoir	IX, l'Enthousiasme
juill.-nov. 1818			
mars 1819		XXIV, la Poésie sacrée	
mars 1819-janv. 1820		XX, la Semaine sainte	
avril 1819		XXI, le Chrétien mourant	
avril 1819		XXII, Dieu	
25 avr.-4 mai 1819	III, le Soir		
mai 1819 ?		VII, la Providence à l'homme	
?-26 mai 1819	VIII, Souvenir		
mai-juin 1819 ?		XII, la Prière	
juill.?-oct. 1819		V, le Vallon	
8 août-sept. 1819		II, l'Homme	
sept.-oct. 1819			
décembre 1819	XXIII, l'Automne		

Sont imprimés en italique les titres des poèmes contenus dans le présent recueil. Quand deux dates sont mentionnées, la première est celle de l'inspiration, la seconde celle de la rédaction définitive. Nous avons choisi, dans le classement chronologique des titres, la première de ces dates pour sa valeur biographique.

Cette intention apparaît d'ailleurs dans le titre des *Méditations poétiques*[1]. Les poèmes revêtent, il est vrai, des aspects bien différents : épître mêlée de récit, scène, ode ou élégie, parfois enfin débat métaphysique. Notons cependant que l'ensemble est beaucoup plus proche des *Rêveries* de Rousseau que des *Discours en vers* de Voltaire. Mais si le lyrisme domine, la pensée n'est jamais absente : Lamartine ne s'arrête pas au sentiment pur. La confidence aboutit à un retour sur soi-même, la rêverie s'achève en réflexion; les idées ou les impressions concrètes amènent divers états d'âme. Le plus souvent, impressions, sentiments et réflexions se mêlent avec une apparente spontanéité. L'inspiration a la plus grande part, mais de nombreux poèmes ont été travaillés et plusieurs fois repris. La composition, le mouvement de chacun d'eux révèlent encore l'intention consciente de Lamartine.

Telles étaient les *Méditations* de mars 1820, parfaite alliance de l'effusion et de la pensée, jamais encore réalisée en poésie.

Les additions que fit le poète dans les rééditions de son ouvrage entre 1820 et 1823 n'étaient que des pièces de circonstance, dues à l'amitié ou aux convictions politiques — alors royalistes — de l'auteur. Le vrai complément des *Méditations poétiques,* ce furent les *Nouvelles Méditations.*

LES « NOUVELLES MÉDITATIONS »

L'essentiel avait été écrit de 1820 à 1823, c'est-à-dire après le mariage de Lamartine. Le recueil, publié le 27 septembre 1823, comprenait : I, « l'Esprit de Dieu »; II, « Sapho »; III, « Bonaparte »; IV, « les Etoiles »; V, « le Papillon »; VI, « le Passé »; VII, « Tristesse »; VIII, « la Solitude »; IX, « Ischia »; X, « la Branche d'amandier »; XI, « A El*** »; XII, « Élégie »; XIII, « le Poète mourant »; XIV, « l'Ange »; XV, « Consolation »; XVI, « les Préludes »; XVII, « l'Apparition de l'ombre de Samuel à Saül »; XVIII, « Stances »; XIX, « la Liberté ou Une nuit à Rome »; XX, « Adieux à la mer »; XXI, « le Crucifix »; XXII, « la Sagesse »; XXIII, « Apparition »; XXIV, « Chant d'amour »; XXV, « Improvisée à la Grande Chartreuse »; XXVI, « Adieux à la poésie ».

Dès sa publication, on se plut à souligner le caractère inégal du recueil. Les nécessités de la publication avaient, en fait, amené l'auteur à grossir le volume par des œuvres de jeunesse (*Elégies*, projets d'épopée ou de tragédies abandonnés) et par des pièces de circonstance. L'ordre chronologique[2] aurait accentué ces disparates, car les poèmes

---

1. Ce titre de *Méditations* n'avait été donné, jusque-là, qu'à des opuscules philosophiques ou religieux. Après les *Méditations* de saint Augustin, les *Méditations de la vie du Christ* de saint Bonaventure, et les *Méditations touchant la première philosophie où l'on démontre l'existence de Dieu et l'immortalité de l'âme* de Descartes, en latin, Bossuet avait publié en français les *Méditations sur l'Evangile ;* 2. Voir tableau chronologique, ci-contre.

CHRONOLOGIE DES NOUVELLES MÉDITATIONS

Dates	Inspiration amoureuse	Inspiration religieuse	Inspirations diverses
Premiers vers (Élégies).			
1815 ?	XI, A El***		II, Sapho
1815			XII, Élégie
1815	VII, Tristesse		
1816 ?	XXIII, Apparition		
1816 ?			
Après la rencontre de Julie.			
1817-1818		XVII, l'Apparition de l'ombre de Samuel à Saül	
1817-1823	XXI, le Crucifix		XIII, le Poète mourant
1818-1823			XIV, l'Ange
1819 ?			
Après la rencontre d'Elisa.			
1819-1823	XV, Consolation	IV, les Etoiles	XVI, les Préludes
été 1819 ?	XXIV, Chant d'amour		
1819-1820 ?	IX, Ischia		
juin-juill. 1820-1822 ?			XX, Adieux à la mer
oct. 1820-fév. 1822			XIX, la Liberté
oct. 1820-1822 ?			XXVI, Adieux à la poésie
déc. 1820-1822 ?			X, la Branche d'amandier
déc. 1820-1823			
printemps 1821		XXII, la Sagesse	I, l'Esprit de Dieu
1821 ?		VI, le Passé	
été 1821-1822		VIII, la Solitude	
août 1821-janv. 1823		XVIII, Stances	
1822 ?		V, le Papillon	
1822 ?			III, Bonaparte
mai 1823			
? juin 1823			
août 1823		XXV, Improvisée à la Grande Chartreuse	

Sont imprimés en italique les titres des poèmes contenus dans le présent recueil. Quand deux dates sont mentionnées, la première est celle de l'inspiration, la seconde celle de la rédaction définitive. Nous avons choisi, dans le classement chronologique des titres, la première de ces dates pour sa valeur biographique.

antérieurs à 1820 se seraient trouvés en tête du volume. Sans obtenir un enchaînement aussi clair que dans les *Premières Méditations*, Lamartine a voulu intercaler ces hors-d'œuvre parmi les poèmes plus récents, pour atténuer les dissonances.

Ainsi présenté, et à part cinq ou six pièces, l'ensemble est toujours dominé par la double inspiration amoureuse et religieuse, mais avec une tonalité différente. Le souvenir d'Elvire subsiste (« le Crucifix »), mais la joie est vivante avec Elisa, la femme du poète (« Ischia », « Chant d'amour »). La tristesse a fait place au bonheur et l'inquiétude à la confiance en Dieu (« la Solitude »). Les pièces politiques (« Bonaparte », « la Liberté ou Une nuit à Rome ») contiennent des réflexions sur les ruines et sur la chute des empires, en harmonie avec l'inspiration métaphysique. Si Lamartine rêve encore de gloire, il a pris conscience de son rôle et de son génie poétique, comme en témoignent les développements qui ouvrent et terminent le recueil (« l'Esprit de Dieu », « Adieux à la poésie »).

Des *Premières* aux *Nouvelles Méditations* apparaissent donc à la fois une évolution et une unité certaines, que ce soit dans les idées ou les sentiments, dans la tonalité générale ou dans l'expression poétique.

L'INSPIRATION LAMARTINIENNE

L'inspiration de Lamartine est dominée par deux sentiments : l'inquiétude métaphysique et l'aspiration à l'infini. La fuite du temps, la souffrance et la mort, voilà ce qui paraît définir la condition de l'homme et justifie son inquiétude.

La douleur et la mort.

Les allusions à la mort sont fréquentes chez Lamartine (« l'Homme », « le Crucifix », « Souvenir »), mais elle n'est évoquée, dans les premières *Élégies*, que de façon conventionnelle, comme la fin inévitable de tous les êtres. Elle n'a aucune réalité tangible et ne cause au poète aucun effroi : seule la brièveté de la vie l'émeut ; il plaint sa fin prochaine avec mélancolie[1]. Avec l'amour et la perte d'Elvire, son âme est plus vivement frappée : il craint, se révolte contre une séparation cruelle, mais la douceur du souvenir tempérera son désespoir. Dans les *Nouvelles Méditations*, la mort apparaît lointaine et souriante, ce n'est qu'un assoupissement dans le bonheur.

Plus que la crainte de mourir, c'est la douleur qui lui inspire des accents déchirants (« l'Isolement », « l'Homme », « le Lac »), douleur de se voir arracher l'être aimé. De sa souffrance personnelle, il s'élève à la souffrance humaine, au problème du mal. Le malheur, voulu par le destin ou par les hommes, semble frapper de préférence

---

1. Il semble revenir avec complaisance sur ce « thème » romantique d'une mort précoce ; notons cependant que le fait était courant à l'époque, vu l'impuissance de la médecine devant la tuberculose, et que l'auteur en fut souvent le témoin.

les génies, ou les innocents. Cette injustice conduit au doute, et ce doute même est un mal : l'homme souffre dans son besoin de comprendre comme dans son besoin d'aimer; il se sent exilé en ce monde. Abattu par un sort cruel, il survit cependant. Mais n'a-t-il été créé que pour souffrir? Ce sentiment d'exil qu'il ressent dans la douleur n'est-il pas plutôt provoqué par la prescience du bonheur pour lequel il était fait?

La fuite du temps.

Un autre aspect angoissant de la condition humaine est la perception du temps qui s'écoule, inexorable (« le Golfe de Baïa », « le Lac »). Tantôt il glisse légèrement, comme une barque dans les eaux de Naples; tantôt nous voudrions l'arrêter avec l'ivresse qu'il apporte, et c'est alors qu'il nous échappe, et nous arrache ces biens que nous croyions posséder : ainsi le bonheur ne nous appartient pas, rien n'existe, puisque rien n'est sûr, puisque rien ne dure. Le temps emporte la jeunesse, fane la beauté, ruine l'œuvre des hommes, leur gloire, il ravit chaque jour un peu de notre être. Dirons-nous que l'homme n'est rien, de même qu'il ne possède rien? — Mais le souvenir n'est-il pas un moyen d'exister pleinement et d'échapper à cette destruction?

« Le passé, le présent, l'avenir ne sont qu'un pour Dieu. L'homme est Dieu par la pensée. Il voit, il sent, il vit à tous les points de son existence à la fois. Il se contemple lui-même, il se comprend, il se possède, il se ressuscite, et il se juge dans les années qu'il a déjà vécu. En un mot, il revit tant qu'il lui plaît de revivre par ses souvenirs. C'est sa souffrance quelquefois, mais c'est sa grandeur. »

Ce goût du passé que l'on reproche à Lamartine n'est donc pas vain regret, mais procède de son besoin d'éternité. Avide d'absolu, le poète s'attachera à des valeurs qui ne sont pas soumises au temps : la vie éternelle, Dieu, la nature, l'amour humain et l'extase du bonheur. Cela seul contentera son amour infini.

Dieu et l'éternité.

Sa révolte devant la mort, c'était sa soif d'éternité. Or ce désir, chez Lamartine, porte en lui-même son espérance; c'est pourquoi l'auteur des *Méditations* ignore l'angoisse. L'immortalité (voir « l'Isolement », « l'Homme », « la Foi ») n'est pas pour Lamartine une certitude, mais un espoir confiant, une perspective qui satisfait l'esprit et le cœur; résolvant les contradictions de la nature humaine, elle affranchit les âmes, et leur permet d'atteindre Dieu et de se retrouver en lui. Cependant, dès cette existence même, le poète s'élève parfois dans le monde spirituel, où son âme plane en liberté. Guidé par l'enthousiasme, la prière et l'amour, il parvient à la contemplation de Dieu (« la Prière », « Dieu », « la Solitude »).

On a salué en Lamartine un poète chrétien. Sans doute il est revenu à l'Église après la mort d'Elvire : dans « le Crucifix », il fait appel au Christ consolateur, qui partagea la souffrance et la mort des hommes. Mais lorsqu'il s'inspire des Écritures, c'est plus souvent de l'Ancien Testament que de l'Évangile, et sa foi en l'immortalité doit beaucoup à Platon. Dans l'ensemble des *Méditations*, il paraît rejeter tout dogmatisme, et nous semble plus proche de Rousseau que d'un catholique. « Très religieux d'instinct, mais très indépendant d'esprit » (Commentaire de « la Semaine sainte »), il est amené à une croyance où le cœur et la raison ne s'excluent ni ne s'opposent, à une sorte de déisme sentimental, de rationalisme mystique. Le Créateur se révèle dans la nature immuable et grandiose, dans la pensée de l'homme et dans toute créature. Dieu est « éternelle raison[1] », et quand Lamartine se soumet à sa volonté, c'est « avec intelligence » qu'il obéit. Humble devant sa toute-puissance, il brûle d'amour envers l'être infini. Il chante la gloire du Seigneur clément et juste, de l'Éternel qui nous console dans la souffrance et qui, dans le châtiment, nous permet d'espérer.

Dieu aime ses créatures, de même que l'homme et la nature entière l'adorent. Et n'est-ce pas l'aimer encore que d'aimer la nature ou un être humain?

La nature et l'amour.

La nature (« le Vallon », « la Prière », « la Solitude ») porte écrit en elle le nom de Dieu, son langage symbolique exprime la force, la bonté, la majesté de son auteur, qui, dans « la voix des déserts[2] », fait entendre ses oracles. C'est le symbolisme des mystiques : le monde visible est le reflet du monde invisible. L'univers apparaît comme un hymne au Créateur, ou comme un sanctuaire dont le poète est l'officiant.

L'immense étendue des paysages de Lamartine est l'image de cet infini auquel il aspire. Dans la solitude des monts, l'âme retrouve sa pureté première, sa sérénité. Immortelle comme celui qui l'a créée, la nature efface l'œuvre fragile des hommes. Mais sa permanence n'est-elle pas pour nous le signe d'une tendre fidélité?

Par sa fraîcheur et son silence, elle nous donne la paix. Elle s'associe à nos sentiments, partage notre mélancolie ou notre joie; elle n'est pas seulement la confidente de notre amour, auquel elle offre un cadre propice, elle vibre de notre émotion même et subit le même enchantement. C'est à elle qu'un visage aimé devra son universelle présence, c'est elle qui redira sans cesse le bonheur que nous avons vécu. Et comme elle paraît tout entière déserte après la mort de l'être aimé! Il semble que Lamartine ne voie la nature qu'à travers ses états d'âme.

---

1. « L'Homme », vers 150; 2. « La Solitude », vers 96.

Cette prééminence accordée au sentiment s'explique par la parenté entre l'amour et la foi. Le poète voue à Elvire une adoration mystique (« Invocation », « Souvenir »). Il voit en elle un être céleste qui le guide vers Dieu, suivant la volonté du Créateur même.

Elisa, au contraire (« Ischia », « Chant d'amour »), inspire au poète un élan beaucoup plus terrestre, mais toujours très délicat. Extase des regards et langage des silences, jeux du désir et du respect, de la pudeur et de la coquetterie, ravissement mêlé d'une sensualité discrète : telles sont les joies qu'il évoque.

Lamartine sait chanter aussi l'amour féminin, fait d'attente rêveuse, de tendresse inquiète et de fidélité.

Ainsi l'amour lamartinien n'a rien perdu de sa pureté. Il s'est enrichi, au contraire, de tout ce que la réalité vécue ajoute au rêve insaisissable. Il garde sa qualité spirituelle et son caractère d'absolu : la beauté de la femme aimée est immortelle, son souvenir ineffaçable. L'union des âmes dans la vie future ne fera que prolonger la félicité conjugale. Le besoin d'un amour durable est en effet lié à notre exigence de bonheur, à notre nostalgie de l'Eden.

Pour Lamartine, dans les *Premières Méditations*, la joie terrestre n'est que songe, illusion fugitive, ivresse d'un instant. Avec la mort d'Elvire, tout espoir semble s'être enfui dans l'au-delà.

Mais Elisa paraît, et le poète va goûter la plénitude de l'amour partagé : tendresse voluptueuse et compréhension tacite, lumière vivifiante des regards, présence apaisante comme l'ombre, continuité délicieuse d'un lien pour la vie et pour l'éternité. On a souvent prétendu qu'une existence heureuse ne pouvait inspirer un poète, à cause de son caractère uniforme. Ceci n'est vrai que pour une sensibilité émoussée. Lamartine a conscience de son bonheur, et nous fait ressentir ce qu'il a d'exaltant, d'exceptionnel, d'unique.

C'est une émotion si vive que parfois elle vous accable ou vous effraie ; c'est l'enivrement d'une vie débordante ; c'est l'accord miraculeux de l'heure et de la nature propices, et de deux êtres faits pour s'aimer : magie où l'on « respire l'air d'un autre monde[1] », béatitude où le temps s'abolit. Seule l'inquiétude de la voir finir lui conserve sa qualité humaine. Entre la spiritualité chrétienne et l'épicurisme antique — celui de sa jeunesse et de ses modèles, Parny entre autres —, Lamartine a su trouver son équilibre : un idéalisme qui n'exclut pas l'amour de la vie.

LA POÉSIE LAMARTINIENNE

Ainsi, plus que de la souffrance et de la mort, Lamartine est le poète de la vie et de la joie.

L'inquiétude de la mort, le doute et la révolte ne sont chez lui que désir de vie éternelle, besoin de certitude, soif de « bien idéal[2] ».

---

1. « Ischia », vers 95 ; 2. « L'Isolement », ligne 43.

La fuite du temps n'est plus l'objet d'une lamentation stérile, pour qui a su vivre des instants éternels, pour qui a foi en l'immortalité. L'exil et la solitude ne sont pas sans remède, quand le poète trouve Dieu, la nature et une épouse qui répondent à son amour.

L'originalité de Lamartine est précisément dans son optimisme, dans son invincible confiance en la vie. Cet optimisme se traduit par le mouvement même de nombreux poèmes. On y progresse chaque fois du passé vers l'avenir, de la détresse à la sérénité, de l'absence à l'éternelle présence. Le désespoir fait place à la joie, la lamentation s'achève en hymne.

L'aspiration à l'absolu, qui caractérise la sensibilité de Lamartine, se retrouve dans son idéal poétique : « Qui a pu dire jamais l'infini ? » Le rêve du poète serait d' « exprimer l'inexprimable », « les plus intimes et les plus insaisissables nuances du sentiment », de « donner une voix à l'impossible[1] ».

Souvent, il déplore l'insuffisance du langage humain, son impuissance à traduire les « mélodies intérieures de l'âme ». Mais il existe une autre langue capable de les révéler, « instinctive et mystérieuse », que « Dieu même[2] » a donnée à quelques élus. La poésie est ce langage privilégié par lequel l'âme converse avec le Créateur. Bien avant l'abbé Bremond et sa théorie de la « poésie pure », Lamartine rapproche donc l'expérience poétique de l'expérience religieuse.

Le poète est inspiré par Dieu, il n'est que son instrument. Il sait lire et écouter dans la nature la parole divine; aussi, les images de Lamartine, loin d'être de simples artifices littéraires, comme la comparaison ou la métaphore, auront-elles une signification mystique. C'est pourquoi on peut véritablement parler de symbolisme.

LE SYMBOLISME DE LAMARTINE

Il serait vain de vouloir identifier les lieux décrits par Lamartine, tout comme il est vain de lui reprocher la pauvreté du dessin ou de la couleur; son objet n'est pas là. Ses paysages ne sont pas seulement un décor, ni ses évocations concrètes un ornement : les uns et les autres sont choisis pour les idées qu'ils suggèrent.

Évocations de l'eau, d'abord : le fleuve représente le temps qui passe, la vie qui s'écoule; le lac immobile, la pérennité; la mer, l'infini du temps, ou la destinée incertaine ; et la barque fragile, l'existence individuelle; le rivage est le terme de l'aventure, le repos ou la mort. De façon plus originale, les flots qui se pressent sur la rive dessinent une caresse ou un baiser.

Les images de lumière sont les plus fréquentes. Les étoiles manifestent la présence divine; c'est le « doigt » de Dieu[3] qui les conduit; elles incitent à la prière, au recueillement, comme les lampes de ce

---

1. Ces trois dernières citations sont tirées de *Raphaël* ; **2.** *Des destinées de la poésie* ; **3.** « L'Homme ».

temple qu'est la nature. La lune suggère la mélancolie, le souvenir, mais parfois sa douceur paraît voluptueuse et invite à l'amour. Le soleil, qui donne la vie, est le reflet de la splendeur divine ; Dieu est le vrai soleil, le foyer dont l'âme n'est qu'une étincelle ou qu'un rayon. Le jour est le regard de Dieu, la lumière en général figure la vérité de la foi, la pureté originelle et l'amour divin — tout ce dont l'âme est avide.

Les images de Lamartine sont intéressantes à la fois par les sensations qu'elles recréent et par leur valeur symbolique. Elles nous découvrent les préoccupations essentielles de l'auteur : Dieu, l'amour, la destinée humaine, et donnent à sa vision son caractère personnel, sa transparence et sa lumière. Ces deux aspects sont d'ailleurs indissociables : n'y a-t-il pas « correspondance » entre le besoin d'infini du poète et le caractère lumineux de la vision lamartinienne ?

LA MUSIQUE DU VERS

On peut établir aussi une « correspondance » entre le rythme des vers et les rythmes du monde. Lamartine nous y engage par cette définition de la poésie :

« ... ces hémistiches qui reposent le son pour le précipiter ensuite plus rapide, ces consonances de la fin des vers qui sont comme des échos répercutés où le même sentiment se prolonge dans le même son, cette symétrie des rimes qui correspond matériellement à je ne sais quel instinct de symétrie morale cachée au fond de notre nature, et qui pourrait bien être une contre-empreinte de l'ordre divin, du rythme incréé dans l'univers. » Ces derniers mots n'esquissent-ils pas déjà la doctrine de Mallarmé ?

Le mouvement des vagues, l'apaisement du soir, l'essor et le déclin du soleil sont rendus par la cadence poétique.

L'harmonie des sons est également suggestive. Les voyelles « claires » traduisent la lumière, la joie ; les voyelles assourdies l'ombre ou l'abattement :

> Je *contemple* la terre ainsi qu'une *ombre* errante[1] ;

les consonnes « douces » évoquent la tendresse d'un appel, la légèreté de la brise ou la lenteur d'un mouvement imperceptible :

> Viens, *l'amoureux silence* occupe au *loin l'espace* ;
> Viens du soir près de moi respirer la *fraîcheur*[2] !

La fluidité mélodieuse de l'ensemble « correspond » à la limpidité des images.

Enfin, la poésie de Lamartine s'apparente à l'art musical par l'emploi du leitmotiv : reprise d'un mot ou d'une image à divers moments de la méditation, avec une tonalité ou sous un éclairage

---

1. « L'Isolement », vers 19 ; 2. « Ischia », vers 42.

différents. Au début de « l'Isolement », « le char vaporeux de la reine des ombres » suggère la tristesse du poète, tandis que dans le finale « le char de l'Aurore » concrétise son élan, son espoir. Au « soleil » de ce monde, qui ne peut lui apporter aucune joie, s'oppose, dans le dernier mouvement, le « vrai soleil », qui lui donnerait le « bien idéal ». L'auteur ponctue ainsi le poème et souligne l'évolution de son état d'âme.

La même répétition, à intervalles plus ou moins brefs, détache les principaux éléments du paysage, un symbole, une idée ou exalte un sentiment. Une véritable incantation recrée la réalité, conférant à un bonheur fugitif une existence éternelle :

> Que le vent qui gémit, le roseau qui soupire,
> Que les parfums légers de ton air embaumé,
> Que tout ce qu'on entend, l'on voit ou l'on respire,
> Tout dise : « Ils ont aimé! »[1]

ACTUALITÉ DES « MÉDITATIONS »

On a voulu voir en Lamartine un poète démodé, à la fois par le style et par l'inspiration. On a voulu limiter sa poésie en lui appliquant tour à tour les étiquettes de « classique » au pire sens du mot, c'est-à-dire de néo-classique du XVIIIe siècle, ou de simple « romantique ». L'enthousiasme de 1820 serait dû au fait que le petit volume des *Méditations* venait à son heure : les salons auraient applaudi le « défenseur du trône et de l'autel » ou, au mieux, un « Chateaubriand en vers ».

Lamartine a contribué lui-même à fausser le sens de son œuvre en ajoutant dans l'édition de 1849, dite « édition des Souscripteurs », des *Commentaires* destinés à préciser les circonstances qui avaient inspiré chacune des *Méditations*. Non seulement ces commentaires sont parfois erronés, soit que la mémoire du poète ait failli, soit que son imagination l'ait entraîné à déformer son passé, mais surtout ils ont amené certains critiques à ne voir dans les *Méditations* qu'une biographie poétique de leur auteur.

De telles interprétations ont eu l'inconvénient de figer dans des considérations de pure histoire littéraire une œuvre encore capable de toucher la sensibilité moderne. L'unique mérite des *Méditations* n'est pas dans le lyrisme redécouvert; l'intensité de l'émotion fait retrouver à Lamartine la poésie dans son essence : incantation, prière, « charme » magique. Dans son refus du mot rare, du détail pittoresque, la poésie de Lamartine atteint parfois, par l'emploi des termes les plus simples, à un pouvoir de suggestion que le XXe siècle sait apprécier. Et les artifices de la rhétorique, qui sont à nos yeux

---

1. « Le Lac », vers 61-64.

incompatibles avec le langage poétique, sont chez lui plus discrets que chez d'autres poètes qui le suivront.

Quant à l'inspiration, on réduirait singulièrement la portée de cette œuvre, à n'y voir qu'un amoureux pleurant indéfiniment sa bien-aimée. De son destin personnel, Lamartine s'est élevé à des préoccupations métaphysiques. C'est l'inquiétude humaine qui le possède, beaucoup plus que son propre chagrin. Avide de vérité et de bonheur, il est tourmenté par le problème du mal. Après Pascal et avant Camus, il définit l'exil comme inhérent à la condition de l'homme. Mais à cette inquiétude il trouve plusieurs réponses : l'amour, qui n'est pour lui qu'un moyen d'atteindre l'absolu; la foi, non pas reçue, mais douloureusement conquise à travers la révolte et le doute; enfin la sérénité de la nature :

« Seule la ville moderne, ose écrire Hegel, offre à l'esprit le terrain où il peut prendre conscience de lui-même. Nous vivons ainsi le temps des grandes villes. Délibérément, le monde a été amputé de ce qui fait sa permanence : la nature, la mer, la colline, la méditation des soirs. Il n'y a plus de conscience que dans les rues, parce qu'il n'y a d'histoire que dans les rues, tel est le décret. [...] L'histoire n'explique ni l'univers naturel qui était elle avant elle, ni la beauté qui est au-dessus d'elle. Elle a donc choisi de les ignorer. [...] La nature est toujours là, pourtant. Elle oppose ses ciels calmes et ses raisons à la folie des hommes[1]. »

Avant Camus, Lamartine ne nous rappelait-il pas l'harmonie du monde? N'avait-il pas lui aussi découvert, dans la splendeur méditerranéenne, l'image vivante de la joie?

---

1. Albert Camus, *l'Été.*

VOCABULAIRE THÉMATIQUE
DES « PREMIÈRES MÉDITATIONS »
ET DES « NOUVELLES MÉDITATIONS »

Le caractère même de l'inspiration lamartinienne et le respect d'une certaine tradition poétique donnent au vocabulaire des *Méditations* sa tonalité propre : une harmonieuse monotonie, où dominent les termes d'une portée générale qui associent à de larges images les élans de la pensée et de la sensibilité. Il en résulte que ce vocabulaire est relativement limité : certains mots (**Le temps, le ciel** ou **les cieux, le monde, l'univers, la nature, la terre**) reviennent avec une telle insistance dans presque chaque poème qu'il serait fastidieux de les noter : ils définissent le cadre de la méditation.

On a réuni ici une trentaine de termes, autour desquels se groupent les thèmes dominants.

Les mots sont classés dans l'ordre alphabétique. Pour chaque mot, la référence donne d'abord le recueil (**M.** = Méditations; **N.M.** = Nouvelles Méditations); *ensuite, le chiffre romain désigne le poème, tandis que le chiffre arabe renvoie au vers du poème. Tous ces mots sont notés dans le texte par un astérisque.*

Âme. M. : I, 17, 43; **II**, 97, 115, 216, 231; **V**, 15, 20, 29, 37; **VIII**, 3, 16, 40, 67, 71, 72; **XII**, 34, 43, 51, 59, 82, 102; **XIV**, 26, 75, 85, 89, 115, 137, 145, 158; **XV**, 50; **XVI**, 24; **XXII**, 1, 7, 17, 29, 31, 90, 94. — **N. M. : I**, 12; **VIII**, 39, 80, 92; **IX**, 29, 37, 75, 86; **XI**, 3, 17, 22, 36; **XVIII**, 30; **XIX**, 50; **XXI**, 26, 49, 53, 59, 83; **XXIV**, 59, 71, 74; **XXVI**, 7, 24, 53.

Amour. M. : I, 42; **II**, 86, 98, 172, 185, 222, 225, 242; **V**, 35, 54; **VIII**, 4, 39; **X**, 38; **XI**, 30; **XII**, 59; **XIII**, 4; **XIV**, 22; **XV**, 64, 76; **XVI**, 30, 34; **XXII**, 34, 65, 89, 94. — **N. M. : III**, 87, 94; **IX**, 24, 31, 34, 74, 86, 90; **XI**, 23, 34; **XXI**, 90; **XXIV**, 60, 204, 223; **XXVI**, 50.

Bonheur. M. : I, 24; **II**, 87; **X**, 38; **XI**, 3; **XIV**, 27, 36, 52. — **N. M. : XI**, 33, 38; **XXVI**, 33.

Cœur. M. : II, 77; **V**, 1, 29, 38, 64; **XI**, 10, 35, 38; **XII**, 29; **XIV**, 28, 148, 152, 159, 168; **XVI**, 8, 30, 36; **XXII**, 28, 120. — **N. M. : I**, 25; **III**, 72; **IX**, 26, 73; **XI**, 13, 25; **XVIII**, 1; **XIX**, 90, 115; **XXI**, 22, 45, 50; **XXIV**, 58, 81, 216.

Désert (nom). **M. : I**, 34; **II**, 118; **VIII**, 42; **XII**, 36, 67, 79; **XIII**, 1; **XIV**, 33; **XXII**, 135. — **N. M. : VIII**, 2, 96; **XVIII**, 26; **XIX**, 15. — **Désert** (adjectif). **M. : XV**, 45; **XVI**, 53; **XXII**, 163. — **N. M. : III**, 104, 118, 128; **IX**, 2.

Désespoir. M. : II, 235; **XIV**, 78.

Destin, destins. M. : II, 72, 142, 247; **XI**, 43; **XIII**, 6, 12; **XIV**, 11, 28, 43; **XXII**, 23. — **N. M. : III**, 102; **V**, 7.

Destinée. M. : II, 103; **XIV**, 133.

Dieu. M. : II, 47, 82, 88, 136, 233, 246; **V**, 61; **XII**, 13, 26, 32, 43; **XIV**, 1, 23, 112, 119; **XVI**, 29, 40; **XXII**, 14, 19, 46, 73, 76, 79, 80, 81,

97, 134, 153. — **N. M.** : **I**, 40; **III**, 169, 170, 175, 179; **VIII**, 14, 18, 52, 62, 89; **XXI**, 4, 66, 84.

Divin. **M.** : **II**, 48, 85; **XII**, 60, 71; **XIII**, 8, 13; **XIV**, 131, 164. — **N. M.** : **I**, 100; **III**, 59; **XXI**, 26, 67, 69; **XXIV**, 91.

Espérance. **M.** : **V**, 1; **XII**, 102; **XIV**, 17, 35, 54. — **N. M.** : **VIII**, 6; **XXI**, 39, 90; **XXVI**, 3.

Espoir. **M.** : **I**, 42; **II**, 234; **V**, 38; **XIV**, 114, 118, 128, 136. — **N. M.** : **XXI**, 13.

Exil, exilé. **M.** : **I**, 47; **II**, 91; **XI**, 45; **XIII**, 10; **XXII**, 22. — **N. M.** : **XIX**, 50; **XXVI**, 38.

Génie. **M.** : **XI**, 15, 27; **XIV**, 44; **XV**, 51, 60, 66. — **N. M.** : **I**, 26; **III**, 152, 164, 179; **XVIII**, 7.

Gloire. **M.** : **II**, 71, 149, 163, 168, 187, 198, 205, 209, 213, 236, 249, 250, 252; **XI**, 3, 7, 21, 30, 46, 56; **XII**, 1, 37, 40; **XIV**, 45; **XV**, 70, 76; **XXII**, 111, 129, 150, 161. — **N. M.** : **III**, 28, 39, 61, 92, 123, 138, 139, 151; **VIII**, 124; **XVIII**, 7, 42; **XIX**, 74.

Glorieux. **M.** : **II**, 183; **XI**, 44; **XII**, 46; **XXII**, 140. — **N. M.** : **XIX**, 95.

Liberté. **M.** : **II**, 77; **XV**, 46; **XXII**, 6. — **N. M.** : **III**, 51, 61; **VIII**, 38, 81; **XIX**, 87, 89, 130.

Mort (nom féminin). **M.** : **II**, 222; **V**, 4; **XII**, 93; **XIV**, 37, 47, 84, 124, 129, 138. — **N. M.** : **I**, 24, 27; **III**, 28, 157; **XIX**, 100; **XXI**, 10, 16, 57, 77; **XXIV**, 194, 223. — *Morts* (nom masc. pluriel). **M.** : **I**, 20; **XI**, 53; **XVI**, 12. — **N. M.** : **XXI**, 93.

Ombre. **M.** : **I**, 1, 11, 19; **II**, 172, 192, 227; **V**, 7, 17, 34, 46, 57, 60; **VIII**, 33, 61, 64; **XII**, 18, 81, 93, 104; **XV**, 36, 57; **XVI**, 4, 44; **XXII**, 41, 61. — **N. M.** : **I**, 45, 76, 81; **III**, 20, 23, 25, 44, 116, 119; **VIII**, 2, 8, 22, 59, 76, 91, 93; **IX**, 9, 31, 49; **XIX**, 10, 45, 58; **XXI**, 20, 95; **XXIV**, 198, 218; **XXVI**, 5, 36.

Prière. **M.** : **VIII**, 59; **XXII**, 33. — **N. M.** : **IX**, 56.

Saint (adj.). **M.** : **I**, 16; **II**, 87, 121; **XII**, 27; **XVI**, 17, 24, 39, 46. — **N. M.** : **I**, 37, 97; **III**, 57; **VIII**, 45; **XIX**, 95, 111; **XXI**, 3, 9; **XXIV**, 220.

Silence. **M.** : **II**, 170; **V**, 8, 29, 63; **XII**, 29, 81; **XIV**, 74; **XV**, 39; **XVI**, 15. — **N. M.** : **I**, 51; **VIII**, 93; **IX**, 41; **XXI**, 37; **XXIV**, 73; **XXVI**, 1.

Silencieux. **M.** : **XIV**, 2, 79; **XV**, 42; **XVI**, 2. — **N. M.** : **I**, 92.

Solitaire. **M.** : **VIII**, 18, 58; **XVI**, 1. — **N. M.** : **II**, 88; **VIII**, 92; **XIX**, 37; **XXIV**, 230.

Solitude. **M.** : **I**, 27. — **N. M.** : **VIII**, 5; **XXVI**, 2.

LAMARTINE EN 1828
Portrait gravé par J.-M. Deveaux.

PREMIÈRES MÉDITATIONS

I. — L'ISOLEMENT

Poème composé en août 1818, quelques mois après la mort d'Elvire.
Suivant le Commentaire, écrit beaucoup plus tard, Lamartine
était alors isolé à Milly. Mais le paysage a surtout une valeur
symbolique.

Souvent sur la montagne, à l'ombre* du vieux chêne, *la plaine*
Au coucher du soleil, tristement je m'assieds; *change comme*
Je promène au hasard mes regards sur la plaine, *un tableau*
Dont le tableau changeant se déroule à mes pieds. *d'un peintre*

5 Ici gronde le fleuve aux vagues écumantes; *fleuve-vague*
Il serpente, et s'enfonce en un lointain obscur; *de passion.*
Là, le lac immobile étend ses eaux dormantes *sa vie*
Où l'étoile du soir se lève dans l'azur. *serpente*

lune
Au sommet de ces monts couronnés de bois sombres,
10 Le crépuscule encor jette un dernier rayon;
Et le char vaporeux de la reine des ombres* *la lune*
Monte, et blanchit déjà les bords de l'horizon.

Cependant, s'élançant de la flèche gothique, *church steeple*
Un son religieux se répand dans les airs;

──────── **QUESTIONS** ────────

● VERS 1-16. Justifiez l'emploi de l'article défini aux vers 1, 3, 4, 7 (*la*
montagne, *du* vieux chêne, etc.). — Justifiez les termes *au hasard* et
changeant (vers 3-4). Signification des images (vers 5-8) : s'agit-il d'une
description précise ou d'une évocation? Quel est le but souhaité? — La
lune (vers 11) est-elle évoquée pour son caractère lumineux? Pourquoi?
— Quels sentiments l'attitude du voyageur révèle-t-elle (vers 15)? — Carac-
térisez l'ensemble de cette description. Justifiez l'absence de couleurs.
Étudiez les mouvements dont le poète anime ce tableau.

15 Le voyageur s'arrête, et la cloche rustique
   Aux derniers bruits du jour mêle de saints* concerts.

   Mais à ces doux tableaux mon âme* indifférente
   N'éprouve devant eux ni charme[1] ni transports;
   Je contemple la terre ainsi qu'une ombre* errante :
20 Le soleil des vivants n'échauffe plus les morts*.

   De colline en colline en vain portant ma vue,
   Du sud à l'aquilon, de l'aurore au couchant,
   Je parcours tous les points de l'immense étendue,
   Et je dis : « Nulle part le bonheur* ne m'attend. »

25 Que me font ces vallons, ces palais, ces chaumières,
   Vains objets dont pour moi le charme est envolé?
   Fleuves, rochers, forêts, solitudes* si chères,
   Un seul être vous manque, et tout est dépeuplé!

   Que le tour du soleil ou commence ou s'achève,
30 D'un œil indifférent je le suis dans son cours;
   En un ciel sombre ou pur qu'il se couche ou se lève,
   Qu'importe le soleil? je n'attends rien des jours.

   Quand je pourrais le suivre en sa vaste carrière,
   Mes yeux verraient partout le vide et les déserts* :
35 Je ne désire rien de tout ce qu'il éclaire,
   Je ne demande rien à l'immense univers.

   Mais peut-être au-delà des bornes de sa sphère,
   Lieux où le vrai soleil[1] éclaire d'autres cieux,

---

1. *Charme* : pouvoir magique d'ensorcellement. Ce mot, comme *transports* (vers 18), et beaucoup d'autres chez Lamartine, conserve, à peine atténué, son sens classique;
2. Suivant Platon, de même que le soleil rayonne sur le monde visible, de même l'Idée du Bien (Dieu) rayonne sur le monde intelligible, dont le premier n'est que le reflet.

━━━━━ **QUESTIONS** ━━━━━━━━━━━━━

● Vers 17-36. L'effet des sonorités assourdies (vers 17-20) : quelle impression contribuent-elles à produire? — Pourquoi le paysage (vers 25) est-il fait d'éléments contrastés (voir vers 5-8)? Citez d'autres oppositions et justifiez-les. — Le sens du pluriel *solitudes* (vers 27); en quoi ce terme aide-t-il à faire mieux comprendre la nuance entre « isolement » et « solitude »? — Quelle est l'impression produite : par l'absence de coupe (vers 17, 19, 20, 23, 34)? par le rythme régulier (vers 25, 29, 31)? par l'ampleur du paysage et par les énumérations des vers 21 à 31? — Précisez la nature du sentiment dominant de ce passage.

Si je pouvais laisser ma dépouille à la terre,
40 Ce que j'ai tant rêvé paraîtrait à mes yeux !

Là, je m'enivrerais à la source où j'aspire ;
Là, je retrouverais et l'espoir* et l'amour*,
Et ce bien idéal que toute âme* désire,
Et qui n'a pas de nom au terrestre séjour !

45 Que ne puis-je, porté sur le char de l'Aurore,
Vague objet de mes vœux, m'élancer jusqu'à toi !
Sur la terre d'exil* pourquoi resté-je encore ?
Il n'est rien de commun entre la terre et moi.

Quand la feuille des bois tombe dans la prairie,
50 Le vent du soir s'élève et l'arrache aux vallons ;
Et moi, je suis semblable à la feuille flétrie :
Emportez-moi comme elle, orageux aquilons !

───────── **QUESTIONS** ─────────

● Vers 37-48. Appréciez la reprise de l'image au vers 38 (à rapprocher du vers 2) ; comment traduit-elle l'évolution du sentiment ? Même question pour l'image du vers 45 (voir vers 11). — Étudiez les accents et les coupes : quels mots sont mis en relief aux vers 38 et 40 ? A quel sentiment correspond le rythme plus vif (vers 41, 42) ? — Pourquoi le bonheur est-il désigné de façon si vague (vers 43, 44, 46) ? — Analysez ce sentiment d'*exil* (vers 47). Son aspect chrétien ; rapprochez de *René* (Chateaubriand). Ne retrouve-t-on pas ce thème dans des auteurs du XXᵉ siècle ? — Justifiez l'emploi répété des négations (vers 48 ; voir vers 32, 35, 36, 44).

● Vers 49-52. Quelle nouvelle image est introduite dans cette strophe ? Comment enrichit-elle la fin du poème, tout en lui donnant une conclusion naturelle ? — Quelle page de Chateaubriand semble avoir inspiré le dernier vers ?

■ Sur l'ensemble du poème « l'Isolement ». — Étudiez le mouvement du poème et montrez son unité. Justifiez sa place en tête des *Méditations*.

— Le thème vous paraît-il original ? Rappelez ses sources d'inspiration essentielles. En quoi est-il romantique ? Rapprochez « l'Isolement » de *René* de Chateaubriand.

— Le paysage lamartinien : caractérisez-le comme évocation, comme « paysage intérieur » plus que comme description réelle.

— La pensée de Lamartine : les réminiscences du spiritualisme chrétien et de l'idéalisme platonicien. Quelle est son attitude à l'égard de « l'autre monde » ?

— La langue et le style : montrez qu'ils sont très proches du classicisme (images, métaphores, périphrases, sens des mots).

II. — L'HOMME

Poème composé en septembre-octobre 1819.

A lord Byron.

[Vers 1-42 : Lamartine s'adresse à Byron, dont il admire la poésie sauvage et tourmentée. Il lui reproche son désespoir et sa révolte.]

Notre crime est d'être homme et de vouloir connaître ;
Ignorer et servir, c'est la loi de notre être.
45 Byron, ce mot est dur, longtemps j'en ai douté ;
Mais pourquoi reculer devant la vérité ?
Ton titre devant Dieu*, c'est d'être son ouvrage,
De sentir, d'adorer ton divin* esclavage ;
Dans l'ordre universel faible atome emporté,
50 D'unir à ses desseins ta libre volonté,
D'avoir été conçu par son intelligence,
De le glorifier par ta seule existence :
Voilà, voilà ton sort. Ah ! loin de l'accuser,
Baise plutôt le joug que tu voulais briser ;
55 Descends du rang des dieux qu'usurpait ton audace ;
Tout est bien, tout est bon, tout est grand à sa place ;
Aux regards de Celui qui fit l'immensité
L'insecte vaut un monde : ils ont autant coûté !

Mais cette loi, dis-tu, révolte ta justice ;
60 Elle n'est à tes yeux qu'un bizarre caprice,
Un piège où la raison trébuche à chaque pas.
Confessons-la¹, Byron, et ne la jugeons pas.
Comme toi, ma raison en ténèbres abonde,
Et ce n'est pas à moi de t'expliquer le monde.
65 Que celui qui l'a fait t'explique l'univers :
Plus je sonde l'abîme, hélas ! plus je m'y perds.
Ici-bas, la douleur à la douleur s'enchaîne,

---

1. *Confesser* : proclamer publiquement.

━━━━━━ **QUESTIONS** ━━━━━━━━━━━━━━━━━

● Vers 43-58. Dans quelle tradition philosophique et religieuse se replace l'image de la condition de l'homme définie aux vers 43-44 ? — Qu'est-ce qui fait la grandeur de l'homme (vers 48-58) ? — Étudiez le jeu des oppositions et des antithèses. — Quel est le rôle de la liberté humaine (vers 50) ? — Expliquez et discutez les vers 56 et 58.

Le jour succède au jour, et la peine à la peine.
Borné dans sa nature, infini dans ses vœux,
70 L'homme est un dieu tombé qui se souvient des cieux :
Soit que, déshérité de son antique gloire*,
De ses destins* perdus il garde la mémoire;
Soit que de ses désirs l'immense profondeur
Lui présage de loin sa future grandeur.
75 Imparfait ou déchu, l'homme est le grand mystère.
Dans la prison des sens enchaîné sur la terre,
Esclave, il sent un cœur* né pour la liberté*;
Malheureux, il aspire à la félicité;
Il veut sonder le monde, et son œil est débile;
80 Il veut aimer toujours : ce qu'il aime est fragile!
Tout mortel est semblable à l'exilé d'Eden :
Lorsque Dieu* l'eut banni du céleste jardin,
Mesurant d'un regard les fatales limites,
Il s'assit en pleurant aux portes interdites.
85 Il entendit de loin dans le divin* séjour
L'harmonieux soupir de l'éternel amour*,
Les accents du bonheur*, les saints* concerts des anges
Qui, dans le sein de Dieu*, célébraient ses louanges;
Et, s'arrachant du ciel dans un pénible effort,
90 Son œil avec effroi retomba sur son sort.

Malheur à qui du fond de l'exil* de la vie
Entendit ces concerts d'un monde qu'il envie!
Du nectar idéal sitôt qu'elle a goûté,
La nature[1] répugne à la réalité;

---

1. *La nature* humaine.

━━━ QUESTIONS ━━━

● VERS 59-90. Précisez le thème de ce passage. Comment se rattache-t-il
au précédent? — De quelle loi s'agit-il (vers 59)? Dans quelle mesure
paraît-elle contraire à la justice? — En quoi la condition humaine est-elle
une énigme? Étudiez les différents procédés de style qui développent ce
thème du *mystère* de l'homme (vers 67-80). — Appréciez la valeur poétique
et philosophique de la formule des vers 69-70. — Pourquoi le poète
propose-t-il deux explications de l'insatisfaction de l'homme? Laquelle
de ces deux hypothèses est la plus optimiste (vers 71-75)? — Dans quels
domaines apparaît le besoin d'absolu (vers 76-80)? — Comment l'image
de l'exil illustre-t-elle cette insatisfaction (vers 81-90)? Comparez ce passage aux vers 36-48 de « l'Isolement », ressemblances et différences dans
le thème et son développement. — L'évocation des vers 84-90 : comment
le dogme biblique de la chute de l'homme est-il interprété ici? Est-il
présenté ici comme une vérité de croyance?

95 Dans le sein du possible en songe elle s'élance;
Le réel est étroit, le possible est immense;
L'âme* avec ses désirs s'y bâtit un séjour
Où l'on puise à jamais la science et l'amour*;
Où, dans des océans de beauté, de lumière,
100 L'homme, altéré toujours, toujours se désaltère,
Et, de songes si beaux enivrant son sommeil,
Ne se reconnaît plus au moment du réveil.

Hélas! tel fut ton sort, telle est ma destinée*.
J'ai vidé comme toi la coupe empoisonnée;
105 Mes yeux, comme les tiens, sans voir se sont ouverts;
J'ai cherché vainement le mot de l'univers,
J'ai demandé sa cause à toute la nature,
J'ai demandé sa fin[1] à toute créature;
Dans l'abîme sans fond mon regard a plongé;
110 De l'atome au soleil j'ai tout interrogé,
J'ai devancé les temps, j'ai remonté les âges :
Tantôt passant les mers pour écouter les sages,
Mais le monde à l'orgueil est un livre fermé!
Tantôt, pour deviner le monde inanimé,
115 Fuyant avec mon âme* au sein de la nature,
J'ai cru trouver un sens à cette langue obscure[2].
J'étudiai la loi par qui roulent les cieux;
Dans leurs brillants déserts* Newton guida mes yeux;
Des empires détruits je méditai la cendre;
120 Dans ses sacrés tombeaux Rome m'a vu descendre;
Des mânes les plus saints* troublant le froid repos,
J'ai pesé dans mes mains la cendre des héros :
J'allais redemander à leur vaine poussière
Cette immortalité que tout mortel espère.
125 Que dis-je? suspendu sur le lit des mourants,

---

1. *Fin :* but dans lequel une chose est créée; 2. *La langue* de la nature. Voir « la Prière », vers 10-14, page 53, et « Dieu », vers 95-108, page 76.

--- **QUESTIONS** ---

● VERS 91-102. Les dangers du rêve et de l'imagination : ceux-ci entraînent-ils forcément l'inaptitude à la vie réelle? En quoi l'attitude décrite ici explique-t-elle bien des aspects du romantisme? — Le vocabulaire : comment s'y mêlent termes abstraits et termes imagés? — Tous les hommes sont-ils victimes de cette désillusion? Relevez les termes qui laissent prévoir qu'il ne s'agit ici que de quelques privilégiés.

Mes regards la cherchaient dans des yeux expirants ;
Sur ces sommets noircis par d'éternels nuages,
Sur ces flots sillonnés par d'éternels orages,
J'appelais, je bravais le choc des éléments.
130 Semblable à la sibylle en ses emportements,
J'ai cru que la nature, en ces rares spectacles,
Laissait tomber pour nous quelqu'un de ses oracles :
J'aimais à m'enfoncer dans ces sombres horreurs[1].
Mais en vain dans son calme, en vain dans ses fureurs,
135 Cherchant ce grand secret sans pouvoir le surprendre,
J'ai vu partout un Dieu* sans jamais le comprendre !
J'ai vu le bien, le mal, sans choix et sans dessein,
Tomber comme au hasard, échappés de son sein ;
J'ai vu partout le mal où le mieux pouvait être,
140 Et je l'ai blasphémé, ne pouvant le connaître ;
Et ma voix, se brisant contre ce ciel d'airain,
N'a pas même eu l'honneur d'irriter le destin*.

Mais, un jour que, plongé dans ma propre infortune,
J'avais lassé le ciel d'une plainte importune,
145 Une clarté d'en haut dans mon sein descendit,
Me tenta de bénir ce que j'avais maudit ;
Et, cédant[2] sans combattre au souffle qui m'inspire,
L'hymne de la raison s'élança de ma lyre :
« Gloire* à toi dans les temps et dans l'éternité,
150 Éternelle raison, suprême volonté !
Toi, dont l'immensité reconnaît la présence,

---

1. *Horreurs :* profondeurs provoquant la crainte ; 2. Anacoluthe : *cédant* se rapporte à « moi », implicitement contenu dans *ma lyre* (vers 148).

──────── QUESTIONS ────────

● Vers 103-142. Expliquez et justifiez à ce moment ce retour à Byron et à l'auteur : qu'y a-t-il de commun entre les deux poètes, malgré leur désaccord actuel ? — Quelle énigme le poète cherche-t-il à résoudre ? Montrez le caractère dramatique de cette vaine recherche (vers 106-137) ; analysez-en les péripéties et la progression. Expliquez les vers 105 et 113 : l'importance du mot *orgueil*. Soulignez la valeur expressive des répétitions (vers 107-108, 127-128, 134, 137-139) ; celle des antithèses (vers 105, 110, 124, 124-126, 135-136). — Les souffrances du doute et vanité de la révolte (vers 135-142) : quelles sont-elles ? Comment le poète les traduit-il ? Montrez la force et l'ironie amère de la chute (au vers 142).

● Vers 143-148. Relevez tous les termes qui insistent sur le caractère inspiré de ce qui va suivre : quel effet produit alors l'annonce d'un *hymne de la raison* (vers 148) ?

Toi, dont chaque matin annonce l'existence!
Ton souffle créateur s'est abaissé sur moi;
Celui qui n'était pas a paru devant toi!
155 J'ai reconnu ta voix avant de me connaître,
Je me suis élancé jusqu'aux portes de l'Etre :
Me voici! le néant te salue en naissant;
Me voici! mais que suis-je? un atome pensant.
Qui peut entre nous deux mesurer la distance?
160 Moi, qui respire en toi ma rapide existence,
A l'insu de moi-même à ton gré façonné,
Que me dois-tu, Seigneur, quand je ne suis pas né?
Rien avant, rien après : gloire* à la fin suprême!
Qui tira tout de soi se doit tout à soi-même.
165 Jouis, grand artisan, de l'œuvre de tes mains :
Je suis pour accomplir tes ordres souverains;
Dispose, ordonne, agis; dans les temps, dans l'espace,
Marque-moi pour ta gloire* et mon jour et ma place :
Mon être, sans se plaindre et sans t'interroger,
170 De soi-même, en silence*, accourra s'y ranger.
Comme ces globes d'or qui dans les champs du vide
Suivent avec amour* ton ombre* qui les guide,
Noyé dans la lumière ou perdu dans la nuit,
Je marcherai comme eux où ton doigt me conduit :
175 Soit que, choisi par toi pour éclairer les mondes,
Réfléchissant sur eux les feux dont tu m'inondes,
Je m'élance entouré d'esclaves radieux,
Et franchisse d'un pas tout l'abîme des cieux;
Soit que, me reléguant loin, bien loin de ta vue,
180 Tu ne fasses de moi, créature inconnue,

QUESTIONS

● Vers 149-186. Dégagez le thème général de ce passage. Sur quel ton s'exprime le poète? Marquez le contraste avec le début du poème. La valeur expressive du rythme. — Indiquez les arguments qui justifient l'humilité et la soumission de la créature (vers 151-170). Sous quels vocables successifs la divinité est-elle invoquée? Quels sont ses attributs essentiels? Comment l'homme est-il défini par rapport au Créateur? — Relevez les formules qui sont des réminiscences de certains textes sacrés, de certaines œuvres philosophiques et morales. — Le caractère expressif des répétitions aux vers 151-152, 157-158, 167, 169. — Analysez la beauté de l'image cosmique des vers 171-178. Expliquez les vers 175-176 : n'y a-t-il pas là une allusion au rôle du poète? Rapprochez ce texte d'une attitude semblable qu'on retrouvera plus tard chez Victor Hugo. — La valeur expressive de l'antithèse des vers 180-183 et des répétitions aux vers 179-186.

Qu'un atome oublié sur les bords du néant,
Ou qu'un grain de poussière emporté par le vent,
Glorieux* de mon sort, puisqu'il est ton ouvrage,
J'irai, j'irai partout te rendre un même hommage,
185 Et, d'un égal amour* accomplissant ta loi,
Jusqu'aux bords du néant murmurer : « Gloire* à toi! »
« Ni si haut, ni si bas! simple enfant de la terre,
Mon sort est un problème, et ma fin un mystère;
Je ressemble, Seigneur, au globe de la nuit,
190 Qui, dans la route obscure où ton doigt le conduit,
Réfléchit d'un côté les clartés éternelles,
Et de l'autre est plongé dans les ombres* mortelles.
L'homme est le point fatal où les deux infinis
Par la toute-puissance ont été réunis.
195 A tout autre degré, moins malheureux peut-être,
J'eusse été... Mais je suis ce que je devais être ;
J'adore sans la voir ta suprême raison :
Gloire* à toi qui m'as fait! ce que tu fais est bon.
    Cependant, accablé sous le poids de ma chaîne,
200 Du néant au tombeau l'adversité m'entraîne;
Je marche dans la nuit par un chemin mauvais,
Ignorant d'où je viens, incertain où je vais,
Et je rappelle en vain ma jeunesse écoulée,
Comme l'eau du torrent dans sa source troublée.

──────── QUESTIONS ────────

● Vers 187-198. Par quels moyens le poète parvient-il à varier les mouvements successifs de cette méditation? Comment rejoint-il (vers 198) le thème essentiel de l'hymne? — Expliquez l'image des vers 189-192 et comparez-la à celle des vers 175-178. — D'après ce qui précède, montrez que le malheur de l'homme (vers 195) réside dans ses contradictions (rapprochez des vers 69-80) : quelles expressions semblent être ici une réminiscence des thèmes pascaliens? — La valeur de la réticence du vers 196 : la soumission du poète est-elle parfaite?

● Vers 199-212. Montrez la progression dans le pessimisme. Étudiez les images des vers 199, 201, 204, 206, 207 : quelle en est l'unité? Sous quel jour est dépeinte la condition humaine? — Le vers 202 a été rapproché d'une pensée de Pascal : « Comme je ne sais d'où je viens, aussi ne sais-je où je vais », mais on pourrait le rapprocher aussi des vers de Voltaire dans le *Poème sur le désastre de Lisbonne* :

> L'homme étranger à soi, de l'homme est ignoré.
> Que suis-je, où suis-je, où vais-je, et d'où suis-je tiré?

Lamartine est-il plus proche de l'inquiétude pascalienne que du scepticisme voltairien? — Le caractère pathétique des oppositions aux vers 209 et 211-212 : Lamartine est-il très éloigné de Byron? Quel poète français du xixᵉ siècle s'exprimera en des termes presque semblables?

205 Gloire* à toi! le malheur en naissant m'a choisi;
   Comme un jouet vivant, ta droite m'a saisi;
   J'ai mangé dans les pleurs le pain de ma misère,
   Et tu m'as abreuvé des eaux de ta colère.
   Gloire* à toi! J'ai crié, tu n'as pas répondu;
210 J'ai jeté sur la terre un regard confondu;
   J'ai cherché dans le ciel le jour de ta justice;
   Il s'est levé, Seigneur, et c'est pour mon supplice.
   Gloire* à toi! L'innocence est coupable à tes yeux :
   Un seul être, du moins, me restait sous les cieux;
215 Toi-même de nos jours avais mêlé la trame;
   Sa vie était ma vie, et son âme* mon âme*;
   Comme un fruit encor vert du rameau détaché,
   Je l'ai vu de mon sein avant l'âge arraché!
   Ce coup, que tu voulais me rendre plus terrible,
220 La frappa lentement pour m'être plus sensible :
   Dans ses traits expirants, où je lisais mon sort,
   J'ai vu lutter ensemble et l'amour* et la mort*;
   J'ai vu dans ses regards la flamme de la vie,
   Sous la main du trépas par degrés assoupie,
225 Se ranimer encore au souffle de l'amour*.
   Je disais chaque jour : « Soleil, encore un jour! »
   Semblable au criminel qui, plongé dans les ombres*,
   Et descendu vivant dans les demeures sombres,
   Près du dernier flambeau qui doive l'éclairer,
230 Se penche sur sa lampe et la voit expirer,
   Je voulais retenir l'âme* qui s'évapore;
   Dans son dernier regard je la cherchais encore!
   Ce soupir, ô mon Dieu*! dans ton sein s'exhala :

───────── QUESTIONS ─────────

● VERS 213-238. Comment l'accusation du vers 213 amène-t-elle l'évocation pathétique de la mort d'Elvire? — Quelle résonance cette méditation prend-elle maintenant? Lamartine n'évoque-t-il pas à la faveur d'un souvenir personnel la question la plus poignante de la condition humaine? — La conception de l'amour qui s'exprime aux vers 215-216 : comment détermine-t-elle les images de la mort des vers 217-234? — Le pathétique du récit des vers 219-234 : comparez ce passage au début du poème « le Crucifix » (pages 111-112). — L'image des vers 227-230 ne semble-t-elle pas en désaccord avec le ton de ce passage? Justifiez-la. — Sur quelle note se conclut ce moment de la méditation (vers 236-238)? Faites la part de l'obéissance, de la soumission pure et celle de l'adhésion du cœur et de l'esprit dans l'attitude à laquelle se résigne Lamartine : l'impression produite par cette conclusion.

BYRON

Le mal est ton spectacle, et l'homme est ta victime. (« L'Homme », vers 23.)

Hors du monde avec lui mon espoir* s'envola !
235 Pardonne au désespoir* un moment de blasphème,
J'osai... Je me repens. Gloire* au maître suprême !
Il fit l'eau pour couler, l'aquilon pour courir,
Les soleils pour brûler, et l'homme pour souffrir !
« Que j'ai bien accompli cette loi de mon être !
240 La nature insensible obéit sans connaître ;
Moi seul, te découvrant sous la nécessité,
J'immole avec amour* ma propre volonté ;
Moi seul je t'obéis avec intelligence ;
Moi seul je me complais dans cette obéissance ;
245 Je jouis de remplir en tout temps, en tout lieu,
La loi de ma nature et l'ordre de mon Dieu* ;
J'adore en mes destins* ta sagesse suprême,
J'aime ta volonté dans mes supplices même :
Gloire* à toi ! gloire à toi ! Frappe, anéantis-moi !
250 Tu n'entendras qu'un cri : « Gloire* à jamais à toi ! »

Ainsi ma voix monta vers la voûte céleste :
Je rendis gloire* au ciel, et le ciel fit le reste.

[VERS 253-286 (fin du poème) : Que Byron, ange déchu, se tourne
vers le ciel et chante la foi.]

──────── QUESTIONS ────────────────────

● VERS 239-252. Montrez comment les vers 240-248 éclairent et déve-
loppent les vers 48 et 50. — Quelle est la place de l'homme dans la nature ?
Quel est son rôle ? — Comment le poète surmonte-t-il son désespoir ?
Ne pousse-t-il pas son optimisme jusqu'au paradoxe (vers 249-250) ?
— Que sous-entend le poète (vers 252) ?

■ SUR L'ENSEMBLE DU POÈME « L'HOMME ». — Étudiez la composition
de cette partie centrale du poème : quels en sont les différents mouvements ?
Montrez que sa structure est fondée sur un développement logique.
Comment cette « méditation » lamartinienne intègre-t-elle et renouvelle-
t-elle la tradition classique de l'épître, du poème philosophique et de
l'hymne ?
— Marquez la progression de l'idée et de l'émotion. Par quel procédé
le poète a-t-il rendu vivantes et émouvantes ces considérations sur la
destinée humaine ?
— L'homme dans la création selon Lamartine : d'où vient que le pessimisme du poète ne laisse cependant pas une impression de désespoir ?
En quoi son attitude est-elle opposée à celle de Byron ?
— La pensée de Lamartine : montrez que l'image qu'il se fait de Dieu
et des rapports de l'homme avec le Créateur tente de concilier les croyances
et les théories de plusieurs systèmes philosophiques et religieux. Pourquoi
est-ce cependant l'image du Dieu de la Bible qui prédomine ?

V. — LE VALLON

Lamartine acheva en octobre 1819 ce poème esquissé pendant
l'été chez son ami Aymon de Virieu, au Grand-Lemps, en Dauphiné.

Mon cœur*, lassé de tout, même de l'espérance*,
N'ira plus de ses vœux importuner le sort :
Prêtez-moi seulement, vallons de mon enfance,
Un asile d'un jour pour attendre la mort*.

5 Voici l'étroit sentier de l'obscure vallée;
Du flanc de ces coteaux pendent des bois épais,
Qui, courbant sur mon front leur ombre* entremêlée,
Me couvrent tout entier de silence* et de paix.

Là, deux ruisseaux cachés sous des ponts de verdure
10 Tracent en serpentant les contours du vallon;
Ils mêlent un moment leur onde et leur murmure,
Et non loin de leur source ils se perdent sans nom.

La source de mes jours comme eux s'est écoulée;
Elle a passé sans bruit, sans nom et sans retour :
15 Mais leur onde est limpide, et mon âme* troublée
N'aura pas réfléchi les clartés d'un beau jour.

La fraîcheur de leurs lits, l'ombre* qui les couronne,
M'enchaînent tout le jour sur les bords des ruisseaux;
Comme un enfant bercé par un chant monotone,
20 Mon âme* s'assoupit au murmure des eaux.

───── **QUESTIONS** ─────

● Vers 1-20. Essayez de définir le ton et le sentiment dans la première
strophe : sur quel mode va se dérouler le poème? — Le paysage (vers 5-
20) est-il décrit ou suggéré? De quels éléments est-il essentiellement fait?
— Les impressions dominantes qui se dégagent de ces images de la
nature : relevez tous les termes qui concourent à faire naître ces impressions visuelles et auditives. — En quoi le paysage s'accorde-t-il avec l'état
d'âme du poète? Montrez (vers 11-16) qu'un des éléments descriptifs
prend pour lui une valeur symbolique : analysez le caractère expressif
des sonorités et des répétitions (vers 14).

Ah! c'est là qu'entouré d'un rempart de verdure,
D'un horizon borné qui suffit à mes yeux,
J'aime à fixer mes pas, et, seul dans la nature,
A n'entendre que l'onde, à ne voir que les cieux.

25 J'ai trop vu, trop senti, trop aimé dans ma vie;
Je viens chercher vivant le calme du Léthé[1].
Beaux lieux, soyez pour moi ces bords où l'on oublie :
L'oubli seul désormais est ma félicité.

Mon cœur* est en repos, mon âme* est en silence*;
30 Le bruit lointain du monde expire en arrivant,
Comme un son éloigné qu'affaiblit la distance,
A l'oreille incertaine apporté par le vent.

D'ici je vois la vie, à travers un nuage,
S'évanouir pour moi dans l'ombre* du passé;
35 L'amour* seul est resté, comme une grande image
Survit seule au réveil dans un songe effacé.

Repose-toi, mon âme*, en ce dernier asile,
Ainsi qu'un voyageur qui, le cœur* plein d'espoir*,
S'assied, avant d'entrer, aux portes de la ville,
40 Et respire un moment l'air embaumé du soir.

Comme lui, de nos pieds secouons la poussière;
L'homme par ce chemin ne repasse jamais :
Comme lui, respirons au bout de la carrière
Ce calme avant-coureur de l'éternelle paix.

---

1. *Léthé* : source des Enfers où, suivant la mythologie grecque, les âmes buvaient l'oubli de leur vie terrestre.

QUESTIONS

● VERS 21-36. Expliquez la métaphore du vers 21 : quel thème nouveau ouvre-t-elle? — En quoi réside l'unité de ce passage? Précisez le lien qui l'unit à ce qui précède. — Le thème de la solitude : un *horizon borné* (vers 22) suffit-il d'ordinaire à Lamartine? Expliquez son changement d'attitude. — L'influence du paysage sur le sentiment du poète : comparez de ce point de vue les deux images des vers 30-34; qu'y ajoute la troisième (vers 35-36)? — L'attitude qui s'exprime au vers 25 est-elle originale et très personnelle?

45 Tes jours, sombres et courts comme les jours d'automne,
Déclinent comme l'ombre* au penchant des coteaux ;
L'amitié te trahit, la pitié t'abandonne,
Et, seule, tu descends le sentier des tombeaux.

Mais la nature est là qui t'invite et qui t'aime ;
50 Plonge-toi dans son sein qu'elle t'ouvre toujours :
Quand tout change pour toi, la nature est la même,
Et le même soleil se lève sur tes jours.

De lumière et d'ombrage elle t'entoure encore :
Détache ton amour* des faux biens que tu perds ;
55 Adore ici l'écho qu'adorait Pythagore,
Prête avec lui l'oreille aux célestes concerts[1].

QUESTIONS

● Vers 37-48. La différence entre *âme* et *cœur* : tâchez de la définir d'après les vers 1, 29 et 37. — Montrez la progression du sentiment (vers 37-40) : quel sens symbolique donner à cette *ville* (vers 39) ? La mort apparaît-elle au vers 44 avec le même caractère qu'au vers 4 ? — La tonalité des vers 45-48 est-elle la même que celle des deux strophes précédentes ?

● Vers 49-64. Le ton et le mouvement des vers 49-52 ; analysez le contraste avec le vers 47. — Le rôle de la nature : quels sont les *faux biens* évoqués au vers 54 ? Comment la nature nous rapproche-t-elle des vrais biens (vers 55-56) ? — L'union de plus en plus étroite avec la nature (vers 56-60) aboutit-elle au panthéisme ? Comment l'appel à l'*intelligence* (vers 61) donne-t-il à la méditation une conclusion un peu inattendue ? Le rôle de l'*esprit* (vers 63) et du *cœur* (vers 64) dans l'attitude finale du poète. — L'impression produite par la tournure interrogative du dernier vers.

■ Sur l'ensemble du poème « LE VALLON ». — La composition de ce poème : par quels liens se trouvent associées à la description de la nature, le sentiment personnel et la réflexion philosophique ?

— Le mouvement du poème : montrez l'élargissement progressif des images et des idées. Dans quelle mesure peut-on dire que cette méditation, comme bien d'autres, est une « élévation » ? Comparez de ce point de vue « le Vallon » avec « l'Isolement » (page 27).

— L'originalité de Lamartine vient-elle des thèmes ? Est-il le premier à évoquer, en pleine jeunesse, la satiété et le désenchantement ? De quelle manière considère-t-il la nature ? Comparez avec Vigny, « la Maison du Berger » (vers 155 et suivants). Montrez que des points de vues différents expliquent la divergence des conclusions.

— L'idéalisme de Lamartine : quelles influences diverses viennent s'y concilier ?

— La poésie de cette « méditation » : pourquoi ce poème est-il considéré comme un des plus significatifs et des mieux réussis du recueil des *Méditations* ?

Suis le jour dans le ciel, suis l'ombre* sur la terre;
Dans les plaines de l'air vole avec l'aquilon;
Avec le doux rayon de l'astre du mystère[2]
60 Glisse à travers les bois dans l'ombre* du vallon.

Dieu*, pour le concevoir, a fait l'intelligence :
Sous la nature enfin découvre son auteur !
Une voix à l'esprit parle dans son silence* :
Qui n'a pas entendu cette voix dans son cœur* ?

VIII. — SOUVENIR

Poème composé sans doute en mai-juin 1819.

En vain le jour succède au jour,
Ils glissent sans laisser de trace;
Dans mon âme* rien ne t'efface,
O dernier songe de l'amour* !

5 Je vois mes rapides années
S'accumuler derrière moi,
Comme le chêne autour de soi
Voit tomber ses feuilles fanées.

Mon front est blanchi par le temps;
10 Mon sang refroidi coule à peine,
Semblable à cette onde qu'enchaîne
Le souffle glacé des autans.

Mais ta jeune et brillante image,
Que le regret vient embellir,
15 Dans mon sein ne saurait vieillir :
Comme l'âme*, elle n'a point d'âge.

---

1. Musique que, suivant les pythagoriciens, les astres produisent dans leur mouvement régulier; 2. *L'astre du mystère :* la lune.

QUESTIONS

● VERS 1-16. La puissance du temps est-elle absolue ? Qu'est-ce qui lui échappe (vers 1-4) ? — Étudiez l'antithèse développée dans les vers 3-16 et sa justification (vers 3 et 15-16). — Les vers 9-10 traduisent-ils une réalité objective à ce moment ? Ne sont-ils qu'une hyperbole toute pure ?

Non, tu n'as pas quitté mes yeux;
Et quand mon regard solitaire*
Cessa de te voir sur la terre,
20   Soudain je te vis dans les cieux.

Là, tu m'apparais telle encore
Que tu fus à ce dernier jour,
Quand vers ton céleste séjour
Tu t'envolas avec l'aurore.

25   Ta pure et touchante beauté
Dans les cieux même t'a suivie;
Tes yeux, où s'éteignait la vie,
Rayonnent d'immortalité!

Du zéphyr l'amoureuse haleine
30   Soulève encor tes longs cheveux;
Sur ton sein leurs flots onduleux
Retombent en tresses d'ébène.

L'ombre* de ce voile incertain
Adoucit encor ton image,
35   Comme l'aube qui se dégage
Des derniers voiles du matin.

Du soleil la céleste flamme
Avec les jours revient et fuit;
Mais mon amour* n'a pas de nuit,
40   Et tu luis toujours sur mon âme*.

C'est toi que j'entends, que je vois,
Dans le désert*, dans le nuage;
L'onde réfléchit ton image;
Le zéphyr m'apporte ta voix.

QUESTIONS

● Vers 17-36. Quels sont les éléments de ce portrait? Relevez toutes les expressions qui lui donnent un aspect à la fois angélique et fantomatique. La valeur expressive des répétitions, vers 19-20 et 33-36. — Montrez que la valeur de ce développement tient : 1º aux éléments plastiques qui le composent; 2º à la valeur symbolique donnée à Elvire; 3º au parallèle établi entre le personnage et le début du jour.

45   Tandis que la terre sommeille,
       Si j'entends le vent soupirer,
       Je crois t'entendre murmurer
       Des mots sacrés à mon oreille.

       Si j'admire ces feux épars[1]
50   Qui des nuits parsèment le voile,
       Je crois te voir dans chaque étoile
       Qui plaît le plus à mes regards.

       Et si le souffle du zéphyre
       M'enivre du parfum des fleurs,
55   Dans ses plus suaves odeurs
       C'est ton souffle que je respire.

       C'est ta main qui sèche mes pleurs,
       Quand je vais, triste et solitaire*,
       Répandre en secret ma prière*
60   Près des autels consolateurs.

       Quand je dors, tu veilles dans l'ombre*;
       Tes ailes reposent sur moi;
       Tous mes songes viennent de toi,
       Doux comme le regard d'une ombre*.

65   Pendant mon sommeil, si ta main
       De mes jours déliait la trame,
       Céleste moitié de mon âme*,
       J'irais m'éveiller dans ton sein!

---

1. Cette strophe et la suivante, supprimées dans la première édition, furent rétablies par Lamartine dès la seconde.

QUESTIONS

● Vers 37-64. Les vers 37-40 constituent-ils seulement une reprise du thème? — Comment cette évocation de la nature se développe-t-elle (vers 41-56)? De quelle manière élargit-elle le portrait qui précède? Montrez qu'elle lui donne en même temps un sens plus profond. — Justifiez la reprise de la même image (vers 53) avec des significations différentes (voir vers 29, 44). — Analysez comment le poète éprouve encore à la fois la joie d'aimer (vers 41-56) et d'être aimé (vers 57-64). — Par quelles tournures de phrases arrive-t-il à nous convaincre de la présence de la femme aimée?

Comme deux rayons de l'aurore,
70   Comme deux soupirs confondus,
Nos deux âmes* ne forment plus
Qu'une âme*, et je soupire encore!

X. — LE LAC

Lamartine avait rencontré Julie Charles à Aix-les-Bains, à l'automne de 1816. En août 1817, il l'y attendit vainement et ébaucha ce poème, devant le lac du Bourget. D'après le poète, c'est en refaisant à l'abbaye de Hautecombe une promenade faite avec Julie l'année précédente qu'il sentit naître l'inspiration.

Ainsi, toujours poussés vers de nouveaux rivages,
Dans la nuit éternelle emportés sans retour,
Ne pourrons-nous jamais sur l'océan des âges
    Jeter l'ancre un seul jour?

5 O lac! l'année à peine a fini sa carrière,
Et, près des flots chéris qu'elle devait revoir,
Regarde! je viens seul m'asseoir sur cette pierre
    Où tu la vis s'asseoir!

[handwritten annotations: "les hommes" above "toujours"; "= Time" next to "l'océan des âges"; "comes back to the place he was w/ Julie but is now alone" ; "happy / unhappy"]

—————— QUESTIONS ——————

● VERS 65-72. Relevez les vers qui expriment l'idée d'une union mystique. Quelle résonance nouvelle le vocabulaire de l'amour platonique prend-il chez Lamartine? — La valeur expressive des répétitions (vers 69-70 et 71-72); l'effet cherché et produit par le rejet (vers 72). — Justifiez l'exclamation finale (vers 72). Pourquoi le poète s'étonne-t-il?

■ SUR L'ENSEMBLE DU POÈME « SOUVENIR ». — La permanence du souvenir : sur quelle antithèse est fondé le développement de ce thème? L'unité du poème : montrez la valeur des répétitions aux vers 3, 16, 71, 72.
— L'évocation du passé : par quelles étapes le poète remonte-t-il dans le temps? Comment donne-t-il l'impression que les visions de la mort et de l'amour restent présentes pour lui?
— Comparez les vers 21-36 aux vers 214-235 du poème « l'Homme » (page 36) : les mêmes images ont-elles dans les deux cas la même résonance?
— Rapprochez de ce poème les dernières strophes de « Tristesse d'Olympio » de Victor Hugo.
— Le rythme du quatrain octosyllabique vous paraît-il adapté au sujet? Essayez de caractériser l'effet que le poète tire de son emploi.

● LE LAC. — VERS 1-4. En quoi l'attaque du poème et le ton interrogatif de cette strophe créent-ils le climat de la méditation? — L'image qui soutient ici l'idée est-elle originale? Pourquoi prend-elle ici une valeur nouvelle et constitue-t-elle un prélude au thème central du poème?

On n'entendait au loin, sur l'onde et sous les cieux,
Que le bruit des rameurs qui frappaient en cadence
Tes flots harmonieux. (« Le Lac », vers 14-16.)

Illustration de Tony Johannot (1803-1852).

Tu mugissais ainsi sous ces roches profondes ;
10 Ainsi tu te brisais sur leurs flancs déchirés ;
Ainsi le vent jetait l'écume de tes ondes
      Sur ses pieds adorés.

Un soir, t'en souvient-il ? nous voguions en silence ;
On n'entendait au loin, sur l'onde et sous les cieux,
15 Que le bruit des rameurs qui frappaient en cadence
      Tes flots harmonieux.

Tout à coup des accents inconnus à la terre
Du rivage charmé[1] frappèrent les échos ;
Le flot fut attentif, et la voix qui m'est chère
20   Laissa tomber ces mots :

« O temps, suspends ton vol ! et vous, heures propices,
      Suspendez votre cours !
Laissez-nous savourer les rapides délices
      Des plus beaux de nos jours !

25 « Assez de malheureux ici-bas vous implorent :
      Coulez, coulez pour eux ;
Prenez avec leurs jours les soins[2] qui les dévorent ;
      Oubliez les heureux.

« Mais je demande en vain quelques moments encore,
30   Le temps m'échappe et fuit ;
Je dis à cette nuit : « Sois plus lente » ; et l'aurore
      Va dissiper la nuit.

---

1. *Charmé* : soumis à un charme magique ; 2. *Soins* : soucis (sens classique).

● QUESTIONS

● VERS 5-20. Justifiez l'apostrophe adressée au lac : quel rôle le poète attribue-t-il au décor qui l'entoure ? — Les éléments du paysage : dans quelle mesure comportent-ils des détails précis ? Sont-ils décrits pour eux-mêmes ? Relevez les termes qui donnent à ce décor un caractère à la fois grandiose et familier. — L'évocation du passé : montrez comment le souvenir ressurgit progressivement. Qu'expriment les répétitions des vers 9-12 ? La valeur de la forte coupe au vers 13 et du rythme régulier des vers 15-16. — Pourquoi le poète ne nomme-t-il pas la femme aimée ? Par quels mots est-elle désignée et quels sentiments ceux-ci révèlent-ils ? — Quels termes montrent que cet instant de bonheur est privilégié (vers 17-20) ?

« Aimons donc, aimons donc! de l'heure fugitive,
          Hâtons-nous, jouissons!
35 L'homme n'a point de port, le temps n'a point de rive :
          Il coule, et nous passons! »

Temps jaloux, se peut-il que ces moments d'ivresse,
Où l'amour* à longs flots nous verse le bonheur*,
S'envolent loin de nous de la même vitesse
40   Que les jours de malheur?

Hé quoi! n'en pourrons-nous fixer au moins la trace?
Quoi! passés pour jamais? quoi! tout entiers perdus?
Ce temps qui les donna, ce temps qui les efface,
          Ne nous les rendra plus?

45 Éternité, néant, passé, sombres abîmes,
Que faites-vous des jours que vous engloutissez?
Parlez : nous rendrez-vous ces extases sublimes
          Que vous nous ravissez?

O lac! rochers muets! grottes! forêt obscure!
50 Vous que le temps épargne ou qu'il peut rajeunir,
Gardez de cette nuit, gardez, belle nature,
          Au moins le souvenir!

Qu'il soit dans ton repos, qu'il soit dans tes orages,
Beau lac, et dans l'aspect de tes riants coteaux,
55 Et dans ces noirs sapins, et dans ces rocs sauvages
          Qui pendent sur tes eaux!

───────── **QUESTIONS** ─────────

● VERS 21-36. Le thème développé dans ces quatre strophes : à quelle tradition du lyrisme appartient-il? — L'originalité de Lamartine; étudiez le rythme en notant l'absence de coupe aux vers 23 et 29, les fortes coupes aux vers 31 et 33, les enjambements qui accélèrent le mouvement aux vers 31-32 et 33-34. — Analysez la composition de la strophe : comment contribue-t-elle à créer un changement par rapport aux strophes précédentes? — Les métaphores et les expressions qui traduisent la marche du temps : en quoi contribuent-elles à donner sa tonalité propre à ce « chant »?

● VERS 37-48. Sur quel thème et sur quels mots se fait le retour à la méditation (vers 37-40)? — Quel sentiment les interrogations et l'impératif du vers 47 traduisent-ils? — Les termes qui expriment l'intensité du bonheur (vers 37-38 et 47) : en quoi forment-ils contraste avec l'énumération du vers 45?

Qu'il soit dans le zéphyr qui frémit et qui passe,
Dans les bruits de tes bords par tes bords répétés,
Dans l'astre au front d'argent qui blanchit ta surface
60   De ses molles clartés!

Que le vent qui gémit, le roseau qui soupire,
Que les parfums légers de ton air embaumé,
Que tout ce qu'on entend, l'on voit ou l'on respire,
         Tout dise : « Ils ont aimé! »

XI. — LA GLOIRE

« Cette ode est un des premiers morceaux de poésie que j'aie écrits
dans le temps où j'imitais encore », dit Lamartine dans le Commentaire de 1849. Composée en 1817, elle fut inspirée par Francisco
Manoel do Nascimento (1734-1819), poète portugais qui, « après
avoir été illustre dans son pays, chassé par des réactions politiques,
s'était réfugié à Paris, où il gagnait péniblement le pain de ses
vieux jours ».
Ses restes furent rapportés à Lisbonne en 1842.

—————— QUESTIONS ——————

● Vers 49-64. Étudiez le mouvement final; les procédés qui ménagent
le crescendo jusqu'au dernier vers. — La reprise de l'invocation (vers 49
à rapprocher du vers 5) : dans quelle intention le poète nomme-t-il tous
les éléments du paysage (vers 49-50) et évoque-t-il ses différents aspects
(vers 53-62)? Pourquoi ces images du lac ont-elles plus de précision dans
ce dernier mouvement que dans le début du poème?

■ Sur l'ensemble du poème « le Lac ». — Comment l'expérience personnelle du poète renouvelle-t-elle et enrichit-elle un des grands thèmes
traditionnels du lyrisme? La sincérité du poète : réside-t-elle dans l'exac-
titude de sa confidence? ou dans le dépassement de son expérience
personnelle?

— Lamartine avait d'abord intitulé cette pièce « Ode du lac de B... »;
le titre définitif vous paraît-il mieux convenir? Comment s'opère l'idéalisation des choses et des êtres?

— La composition du poème : ne peut-on en comparer les différents
mouvements à celui d'un concerto? Étudiez ce qui constitue la « musique
lamartinienne » dans cette méditation.

— L'héritage de Rousseau : en rapprochant ce texte de l'épisode
célèbre de *la Nouvelle Héloïse* (quatrième partie, lettre 17), montrez la
part des influences littéraires dans cette poésie du lac.

A un poète exilé.

Généreux[1] favoris des filles de Mémoire[2],
Deux sentiers différents devant vous vont s'ouvrir :
L'un conduit au bonheur*, l'autre mène à la gloire*;
    Mortels, il faut choisir.

5 Ton sort, ô Manoel, suivit la loi commune;
La muse t'enivra de précoces faveurs;
Tes jours furent tissus de gloire* et d'infortune,
    Et tu verses des pleurs!

Rougis plutôt, rougis d'envier au vulgaire
10 Le stérile repos dont son cœur* est jaloux :
Les dieux ont fait pour lui tous les biens de la terre;
    Mais la lyre est à nous.

Les siècles sont à toi, le monde est ta patrie.
Quand nous ne sommes plus, notre ombre a des autels
15 Où le juste avenir prépare à ton génie*
    Des honneurs immortels.

Ainsi l'aigle superbe au séjour du tonnerre
S'élance, et, soutenant son vol audacieux,
Semble dire aux mortels : « Je suis né de la terre,
20   Mais je vis dans les cieux. »

Oui, la gloire* t'attend; mais arrête, et contemple
A quel prix on pénètre en ces parvis sacrés;
Vois! l'Infortune, assise à la porte du temple,
    En garde les degrés.

1. *Généreux* : noble, bien né (sens classique); 2: *Mémoire* : Mnémosyne (« Mémoire » en grec), mère des Muses, inspiratrices des poètes.

QUESTIONS

● Vers 1-20. Le dilemme (vers 3) sur lequel se fonde ce premier mouvement du poème n'est-il pas paradoxal, du moins en apparence? — Quel genre de bonheur le poète refuse-t-il (vers 9-11)? Comment définit-il la gloire (vers 13-16)? — Le sort de l'homme de génie : quelle est sa part dans le monde? Pourquoi Lamartine parle-t-il d'une *loi commune* (vers 5)? — La comparaison des vers 17-20 : montrez la valeur expressive du rythme. A quel registre élève-t-elle le poème ?

25 Ici c'est un vieillard¹ que l'ingrate Ionie - *Homère - Greece*
   A vu de mers en mers promener ses malheurs :
   Aveugle, il mendiait au prix de son génie*
          Un pain mouillé de pleurs.

   Là le Tasse², brûlé d'une flamme fatale,
30 Expiant dans les fers sa gloire* et son amour*,
   Quand il va recueillir la palme triomphale³,
          Descend au noir séjour.

   Partout des malheureux, des proscrits, des victimes,
   Luttant contre le sort ou contre les bourreaux;
35 On dirait que le ciel aux cœurs* plus magnanimes
          Mesure plus de maux.

   Impose donc silence aux plaintes de ta lyre :
   Des cœurs* nés sans vertu l'infortune est l'écueil;
   Mais toi, roi détrôné, que ton malheur t'inspire
40   Un généreux⁴ orgueil !

   Que t'importe, après tout, que cet ordre barbare
   T'enchaîne loin des bords qui furent ton berceau?
   Que t'importe en quels lieux le destin* te prépare
          Un glorieux* tombeau?

---

1. Homère, que la tradition représente errant de ville en ville, vieux et aveugle; **2.** *Le Tasse* : Torquato Tasso, né à Sorrente, mort à Rome (1544-1595), rendu célèbre par sa pastorale *Aminta* et par son poème chevaleresque *la Jérusalem délivrée* vécut à la cour du duc de Ferrare, où il fut d'abord traité avec faveur; mais, à la suite de ses amours avec la sœur du duc (c'est du moins la légende illustrée par Goethe dans son drame *Torquato Tasso*), il fut enfermé comme fou pendant sept ans; il mena ensuite une vie errante et misérable; **3.** Le pape Clément VIII voulut renouveler pour le Tasse le triomphe et le couronnement au Capitole, remis en honneur pour Pétrarque, mais le Tasse mourut avant la fête; **4.** *Généreux* : voir vers 1 et la note.

─────── ● **QUESTIONS** ───────────────────

● VERS 21-36. L'image du temple de la gloire : comment se trouve-t-elle ici restituée? — Quelle idée les mots *prix* (vers 22 et 27) et *expiant* (vers 30) impliquent-ils? Les deux exemples (vers 25-28 et 29-32) cités par Lamartine : expliquez ce choix; en quoi précise-t-il l'intention du poète? — L'idée exprimée aux vers 35-36 est-elle conforme à la pensée chrétienne? A quelle philosophie est-elle empruntée? Discutez ce fatalisme.

45 Ni l'exil*, ni les fers de ces tyrans du Tage
  N'enchaîneront ta gloire* aux bords où tu mourras :
  Lisbonne la réclame, et voilà l'héritage
      Que tu lui laisseras!

  Ceux qui l'ont méconnu pleureront le grand homme;
50 Athène[1] à des proscrits[2] ouvre son Panthéon;
  Coriolan[3] expire, et les enfants de Rome
      Revendiquent son nom.

  Aux rivages des morts* avant que de descendre,
  Ovide[4] lève au ciel ses suppliantes mains :
55 Aux Sarmates grossiers il a légué sa cendre,
      Et sa gloire* aux Romains.

Glory will crown him

1. *Athène* : licence orthographique nécessitée par la versification; 2. Notamment Aristide, le vainqueur de Marathon, qui fut exilé à l'instigation de son rival Thémistocle; 3. *Coriolan* : général romain exilé après avoir rendu de brillants services à sa patrie (vᵉ siècle av. J.-C.); 4. *Ovide* (43 av. J.-C. - 17 apr. J.-C.), poète latin, auteur des *Métamorphoses*, jouit jusqu'à cinquante ans d'une parfaite réussite mondaine et littéraire, puis, pour des raisons mystérieuses, fut brusquement exilé par l'empereur Auguste à Tomes, sur le Pont-Euxin (mer Noire). Malgré plusieurs volumes de poésies suppliantes, il mourut chez les *Sarmates* (nom donné dans l'Antiquité aux peuples habitant dans la région sud de l'Ukraine).

───────────── ● QUESTIONS ─────────────

● VERS 37-56. Le mouvement des vers 37-48 : sur quel ton Lamartine s'adresse-t-il maintenant au poète persécuté? — D'après les vers 39, 42 et 46, quels liens attachent le poète à sa patrie? Pourquoi l'homme de génie peut-il dédaigner l'ingratitude de ses compatriotes? — L'injustice dont le grand homme a été victime est-elle irréparable? Quel lien indissoluble subsiste entre sa patrie et lui (vers 56)? — Les exemples qui illustrent les deux dernières strophes ont-ils la même portée que ceux qui étaient cités aux vers 25-32?

■ SUR L'ENSEMBLE DU POÈME « LA GLOIRE ». — La facture de ce poème : en quoi garde-t-il par sa structure, par son expression et par son intention, la forme d'une ode classique?
  — Justifiez la place de ce poème dans les *Méditations*; s'harmonise-t-il parfaitement avec les autres pièces du recueil?
  — La destinée de l'homme de génie selon Lamartine. Dans quelle mesure hérite-t-il de certaines idées de Rousseau et de Chateaubriand à ce sujet? Comment ce thème sera-t-il ensuite repris par les poètes romantiques?

XII. — LA PRIÈRE

Cet « hymne de l'adoration rationnelle » (Commentaire) fut composé pendant l'été 1819.

Le roi brillant du jour, se couchant dans sa gloire*,
Descend avec lenteur de son char de victoire :
Le nuage éclatant qui le cache à nos yeux
Conserve en sillons d'or sa trace dans les cieux,
5 Et d'un reflet de pourpre inonde l'étendue.
Comme une lampe d'or dans l'azur suspendue,
La lune se balance aux bords de l'horizon;
Ses rayons affaiblis dorment sur le gazon,
Et le voile des nuits sur les monts se déplie.
10 C'est l'heure où la nature, un moment recueillie,
Entre la nuit qui tombe et le jour qui s'enfuit,
S'élève au créateur du jour et de la nuit,
Et semble offrir à Dieu*, dans son brillant langage,
De la création le magnifique hommage.

15 Voilà le sacrifice immense, universel!
L'univers est le temple et la terre est l'autel;
Les cieux en sont le dôme; et ces astres sans nombre,
Ces feux demi-voilés, pâle ornement de l'ombre*,
Dans la voûte d'azur avec ordre semés,
20 Sont les sacrés flambeaux pour ce temple allumés :
Et ces nuages purs qu'un jour mourant colore,
Et qu'un souffle léger, du couchant à l'aurore,
Dans les plaines de l'air repliant mollement,
Roule en flocons de pourpre aux bords du firmament,

──────── QUESTIONS ────────

● Vers 1-14. L'impression dominante qui se dégage de cette description : montrez qu'elle est orientée tout entière vers le symbole qui couronne ce premier développement (vers 10-14). — Comment les deux images classiques (vers 2 et 6) qui servent à peindre le soleil et la lune s'harmonisent-elles ici? Relevez les mots qui donnent à ce tableau ses mouvements et ses couleurs. — La valeur des adjectifs aux vers 13 et 14. — Comparez cette image du crépuscule aux vers 10-32 de « l'Isolement » : sous quel aspect le poète voit-il toujours ce moment privilégié?

● Vers 15-26. De quelle manière la vision s'agrandit-elle? Montrez comment tous les éléments du décor participent à la signification symbolique que le poète lui prête : quel sens faut-il attribuer au mot *sacrifice* (vers 15)?

25 Sont les flots de l'encens qui monte et s'évapore
Jusqu'au trône du Dieu* que la nature adore.

Mais ce temple est sans voix. Où sont les saints* concerts ?
D'où s'élèvera l'hymne au roi de l'univers ?
Tout se tait : mon cœur* seul parle dans ce silence*.
30 La voix de l'univers, c'est mon intelligence.
Sur les rayons du soir, sur les ailes du vent,
Elle s'élève à Dieu* comme un parfum vivant,
Et, donnant un langage à toute créature,
Prête, pour l'adorer, mon âme* à la nature.
35 Seul, invoquant ici son regard paternel,
Je remplis le désert* du nom de l'Éternel ;
Et celui qui, du sein de sa gloire* infinie,
Des sphères qu'il ordonne écoute l'harmonie[1],
Écoute aussi la voix de mon humble raison,
40 Qui contemple sa gloire* et murmure son nom.

Salut, principe et fin de toi-même et du monde !
Toi qui rends d'un regard l'immensité féconde,
Ame* de l'univers, Dieu*, père, créateur,
Sous tous ces noms divers je crois en toi, Seigneur ;
45 Et, sans avoir besoin d'entendre ta parole,
Je lis au front des cieux mon glorieux* symbole[2].
L'étendue à mes yeux révèle ta grandeur,
La terre ta bonté, les astres ta splendeur.
Tu t'es produit toi-même en ton brillant ouvrage !
50 L'univers tout entier réfléchit ton image,
Et mon âme* à son tour réfléchit l'univers.
Ma pensée, embrassant tes attributs divers,
Partout autour de toi te découvre et t'adore,
Se contemple soi-même, et t'y découvre encore :

---

1. Voir « le Vallon », vers 56 et la note, page 42 ; 2. *Symbole :* formulaire qui contient les principaux articles de la foi (sens théologique). Le « symbole des Apôtres » est le « Credo » du catéchisme catholique.

● QUESTIONS ●

● VERS 27-40. Pourquoi le langage symbolique de la nature reste-t-il insuffisant ? Quel rôle l'homme joue-t-il dans la nature (vers 27-34) ? — Les rapports de Dieu avec la création (vers 37-40) : qu'y a-t-il de commun entre l'harmonie des sphères célestes (vers 38) et la voix de l'homme en prière (vers 39-40) ? — Pourquoi est-ce la *raison* (vers 39), et non le cœur, qui s'adresse à Dieu ?

55 Ainsi l'astre du jour éclate dans les cieux,
    Se réfléchit dans l'onde et se peint à mes yeux.

    C'est peu de croire en toi, bonté, beauté suprême!
    Je te cherche partout, j'aspire à toi, je t'aime!
    Mon âme* est un rayon de lumière et d'amour*
60 Qui, du foyer divin* détaché pour un jour,
    De désirs dévorants loin de toi consumée,
    Brûle de remonter à sa source enflammée.
    Je respire, je sens, je pense, j'aime en toi!
    Ce monde qui te cache est transparent pour moi;
65 C'est toi que je découvre au fond de la nature,
    C'est toi que je bénis dans toute créature.
    Pour m'approcher de toi, j'ai fui dans ces déserts* :
    Là, quand l'aube, agitant son voile dans les airs,
    Entr'ouvre l'horizon qu'un jour naissant colore,
70 Et sème sur les monts les perles de l'aurore,
    Pour moi, c'est ton regard qui, du divin* séjour,
    S'entr'ouvre sur le monde et lui répand le jour;
    Quand l'astre à son midi, suspendant sa carrière,
    M'inonde de chaleur, de vie et de lumière,
75 Dans ses puissants rayons, qui raniment mes sens,
    Seigneur, c'est ta vertu[1], ton souffle que je sens;
    Et quand la nuit, guidant son cortège d'étoiles,

---

1. *Vertu* : force bienfaisante (sens classique).

QUESTIONS

● VERS 41-56. La montée du poème : pourquoi le poète peut-il maintenant proclamer son credo? — Étudiez le rythme des vers 41-45 : quels
sentiments traduisent-ils? Les définitions de Dieu énumérées aux vers 43-
46 : comment prétendent-elles concilier des conceptions philosophiques
et religieuses différentes? Peut-on parler de panthéisme à propos de ce
texte? L'importance du vers 45. — Les preuves de l'existence de Dieu
(vers 47-56) : par quels procédés et par quelles images la poésie lamartinienne concilie-t-elle les preuves théologiques traditionnelles du christianisme et les arguments tirés des systèmes de la philosophie déiste et
spiritualiste? — Expliquez le vers 54 : quelle idée ajoute-t-il au vers 51?
— La valeur des trois verbes qui soutiennent la comparaison des vers 55-56.

● VERS 57-66. — Comment passe-t-on de l' « acte de foi » à l' « acte de
charité »? (vers 57-58)? — Mettez en relief tout ce qui, dans les idées,
les images, le ton de ce passage, rassemble les aspects essentiels de l'amour
mystique. Est-ce encore l'humble raison (vers 39) qui parle ici? —
Comment Lamartine explique-t-il sa croyance en l'immortalité de l'âme
(vers 59-62)?

Sur le monde endormi jette ses sombres voiles,
Seul[1], au sein du désert* et de l'obscurité,
80 Méditant de la nuit la douce majesté,
Enveloppé de calme, et d'ombre*, et de silence*,
Mon âme* de plus près adore ta présence;
D'un jour intérieur je me sens éclairer,
Et j'entends une voix qui me dit d'espérer.

85 Oui, j'espère, Seigneur, en ta magnificence :
Partout à pleines mains prodiguant l'existence,
Tu n'auras pas borné le nombre de mes jours
A ces jours d'ici-bas, si troublés et si courts.
Je te vois en tous lieux conserver et produire :
90 Celui qui peut créer dédaigne de détruire.
Témoin de ta puissance et sûr de ta bonté,
J'attends le jour sans fin de l'immortalité.
La mort* m'entoure en vain de ses ombres funèbres,
Ma raison voit le jour à travers ces ténèbres;
95 C'est le dernier degré qui m'approche de toi,
C'est le voile qui tombe entre ta face et moi.
Hâte pour moi, Seigneur, ce moment que j'implore;
Ou, si dans tes secrets tu le retiens encore,
Entends du haut du ciel le cri de mes besoins!
100 L'atome et l'univers sont l'objet de tes soins :

---

1. *Seul* se rapporte à « moi », impliqué par le possessif *mon*, qui détermine *âme* (vers 82); anacoluthe.

──────── **QUESTIONS** ────────

● VERS 67-84. — Expliquez l'apparente contradiction des vers 67 et 66 (voir vers 10). — Dans quelle mesure le développement des vers 68-84 pourrait-il se comparer au développement des vers 41-64 de « Souvenir » (pages 43-44)? A quelle fin le poète use-t-il d'un procédé de pure rhétorique? — Le sentiment du poète à l'égard de la divinité est-il semblable selon les différentes heures du jour? Quel est le moment privilégié? — Le rythme de ces vers 68-84 : comment traduit-il, surtout dans le dernier mouvement, l'état d'âme du poète?

● VERS 85-106. Par quelle transition passe-t-on à l' « acte d'espérance »? En quoi l'évocation du début du poème justifie-t-elle cette conclusion? Quels arguments appuient la foi de Lamartine en l'immortalité (vers 87-92)? Rapprochez l'image du vers 94 de celle du vers 83; expliquez les images du vers 95-96. — Qu'exprime l'antithèse du vers 100? Rapprochez-la des vers 38-39. — Le contenu de la prière (vers 97, 99, 101, 106) : comment s'y succèdent les réminiscences bibliques et chrétiennes, rationalistes et mystiques? Le vers final n'ajoute-t-il pas encore une idée nouvelle à l'ensemble?

Des dons de ta bonté soutiens mon indigence,
Nourris mon corps de pain, mon âme* d'espérance*,
Réchauffe d'un regard de tes yeux tout-puissants
Mon esprit éclipsé par l'ombre* de mes sens,
105 Et, comme le soleil aspire la rosée,
Dans ton sein à jamais absorbe ma pensée!

XIII. — INVOCATION

Poème composé en octobre 1816 ou en janvier 1817.

O toi qui m'apparus dans ce désert* du monde,
Habitante du ciel, passagère en ces lieux!
O toi qui fis briller dans cette nuit profonde
    Un rayon d'amour* à mes yeux;

5 A mes yeux étonnés montre-toi tout entière;
Dis-moi quel est ton nom, ton pays, ton destin* :
    Ton berceau fut-il sur la terre?
    Ou n'es-tu qu'un souffle divin*?

─────── **QUESTIONS** ───────

■ Sur l'ensemble du poème « La Prière ». — La composition et le mouvement du poème : à partir de quoi naît la méditation? Par quels degrés passe-t-on du spectacle de la nature à la spiritualité pure? Ce mouvement caractéristique ne se retrouve-t-il pas dans d'autres poèmes du recueil?

— L'inspiration du poème : le rôle de la nature dans la connaissance de Dieu et dans l'amour qu'on lui porte. Dans quelle mesure ce poème pourrait-il être considéré comme le développement de l'idée ébauchée dans la dernière strophe du « Vallon », page 42? Comparez ce poème à l' « hymne de la raison » du poème « l'Homme » (vers 149-250), pages 33-38 : l'image que le poète se fait de Dieu est-elle la même dans les deux cas? Son attitude est-elle identique? En quoi « la Prière » marque-t-elle · un certain apaisement?

— La pensée religieuse de Lamartine : comment cumule-t-il toutes les formes de spiritualisme? L'héritage du christianisme traditionnel, de Rousseau et de Chateaubriand, du déisme rationaliste et du pathétique mystique. Quelle est cependant la note dominante?

— Le poème-prière : la forme moderne du psaume créée ici par Lamartine.

● Vers 1-8. Dans quelles circonstances cette première rencontre se produit-elle? Comment pourrait-on qualifier la première impression du poète (vers 1-2)? — Quel sentiment le mot *passagère* (vers 2) implique-t-il? — Par quel moyen les deux premières strophes s'enchaînent-elles? Quel sentiment s'exprime ici (vers 5-6)? — L'alternative des vers 7-8 : pourquoi le poète ne s'en tient-il pas à sa première impression (voir vers 2)?

Phot. Léon Séché.

PORTRAIT DE Mᵐᵉ CHARLES VERS 1809

Miniature d'Elouis (1755-1840).

Vas-tu revoir demain l'éternelle lumière?
10 Ou dans ce lieu d'exil*, de deuil et de misère,
Dois-tu poursuivre encor ton pénible chemin?
Ah! quel que soit ton nom, ton destin*, ta patrie,
O fille de la terre ou du divin* séjour,
       Ah! laisse-moi toute ma vie
15   T'offrir mon culte ou mon amour.

Si tu dois comme nous achever ta carrière,
Sois mon appui, mon guide, et souffre qu'en tous lieux
De tes pas adorés je baise la poussière.
Mais si tu prends ton vol, et si, loin de nos yeux,
20 Sœur des anges, bientôt tu remontes près d'eux,
Après m'avoir aimé quelques jours sur la terre,
       Souviens-toi de moi dans les cieux!

XIV. — LA FOI

Poème composé en 1818 « dans cet état de convalescence qui suit les violentes convulsions et les grandes douleurs de l'âme. [...] Ce sont les moments où l'on cherche à se rattacher, par le souvenir et par l'illusion, aux images de son enfance; c'est alors aussi que la piété de nos premiers jours rentre dans notre âme pour ainsi dire par les sens, avec la mémoire de notre berceau, de notre prière du premier foyer, du premier temps où l'on a appris à épeler le nom que nos parents donnaient à Dieu » (Commentaire).

─────── QUESTIONS ───────

● Vers 9-22. Rapprochez les vers 9 et 4 : à quelle image est lié le sentiment de l'amour? — Les résonances chrétiennes des vers 10-11; en quoi le poète est-il indécis, mais de quoi est-il sûr (vers 12-15)? — Selon quel équilibre l'alternative s'installe-t-elle dans les vers 16-22? Quel sentiment cet équilibre traduit-il? Que demande le poète à la femme aimée? Comment cet amour mystique s'accorde-t-il avec le sentiment chrétien (vers 20)?

■ Sur l'ensemble du poème « Invocation ». — Le caractère original de ce poème : quel en est le thème? Citez d'autres poèmes où Lamartine exprime cette même tendance à spiritualiser la femme aimée. Pourquoi n'y a-t-il pas opposition entre les deux images, terrestre et angélique, de l'être invoqué ici? Comment s'est transformé ici l'idéal féminin issu des « chimères » de Rousseau et de la Sylphide de Chateaubriand?

— La construction de ce court poème. La structure de chacune des strophes : le rôle des vers 4, 7, 8, 14-15, 22.

O néant! ô seul Dieu* que je puisse comprendre!
Silencieux* abîme où je vais redescendre,
Pourquoi laissas-tu l'homme échapper de ta main?
De quel sommeil profond je dormais dans ton sein!
5 Dans l'éternel oubli j'y dormirais encore :
Mes yeux n'auraient pas vu ce faux jour que j'abhorre,
Et dans ta longue nuit mon paisible sommeil
N'aurait jamais connu ni songes ni réveil.

    — Mais puisque je naquis, sans doute il fallait naître;
10 Si l'on m'eût consulté, j'aurais refusé l'être.
Vains regrets! le destin* me condamnait au jour,
Et je viens, ô soleil, te maudire à mon tour.

    — Cependant, il est vrai, cette première aurore,
Ce réveil incertain d'un être qui s'ignore,
15 Cet espace infini s'ouvrant devant ses yeux,
Ce long regard de l'homme interrogeant les cieux,
Ce vague enchantement, ces torrents d'espérance*,
Éblouissent les yeux au seuil de l'existence.
Salut, nouveau séjour où le temps m'a jeté,
20 Globe, témoin futur de ma félicité!
Salut, sacré flambeau qui nourris la nature,
Soleil, premier amour* de toute créature!
Vastes cieux, qui cachez le Dieu* qui vous a faits!
Terre, berceau de l'homme, admirable palais!
25 Homme semblable à moi, mon compagnon, mon frère,
Toi, plus belle à mes yeux, à mon âme* plus chère!
Salut, objets, témoins, instruments de bonheur*!
Remplissez vos destins*, je vous apporte un cœur*.

    — Que ce rêve est brillant! mais, hélas! c'est un rêve.
30 Il commençait alors; maintenant il s'achève.
La douleur lentement m'entr'ouvre le tombeau :

─────── **QUESTIONS** ───────

● Vers 1-28. Les mouvements et les thèmes de cette première partie :
le paradoxe apparent qui existe entre le titre et ce début. — Comment
s'exprime ici la révolte (vers 1-12)? Montrez que l'amertume va jusqu'au blasphème. — Quelles impressions les images des vers 13-18
suggèrent-elles : relevez les termes et surtout les adjectifs qui suggèrent
le caractère illusoire de cet éveil à l'existence. — Quels sont les différents rêves de la jeunesse (vers 19-28)?

Salut, mon dernier jour! Sois mon jour le plus beau!

J'ai vécu; j'ai passé ce désert* de la vie,
Où toujours sous mes pas chaque fleur s'est flétrie;
35 Où toujours l'espérance*, abusant ma raison,
Me montrait le bonheur* dans un vague horizon;
Où du vent de la mort* les brûlantes haleines
Sous mes lèvres toujours tarissaient les fontaines.
Qu'un autre, s'exhalant en regrets superflus,
40 Redemande au passé ses jours qui ne sont plus,
Pleure de son printemps l'aurore évanouie,
Et consente à revivre une seconde vie :
Pour moi, quand le destin* m'offrirait, à mon choix,
Le sceptre du génie* ou le trône des rois,
45 La gloire*, la beauté, les trésors, la sagesse,
Et joindrait à ses dons l'éternelle jeunesse,
J'en jure par la mort*, dans un monde pareil,
Non, je ne voudrais pas rajeunir d'un soleil.
Je ne veux pas d'un monde où tout change, où tout passe;
50 Où, jusqu'au souvenir, tout s'use et tout s'efface :
Où tout est fugitif, périssable, incertain;
Où le jour du bonheur* n'a pas de lendemain.

— Combien de fois ainsi, trompé par l'existence,
De mon sein pour jamais j'ai banni l'espérance*!
55 Combien de fois ainsi mon esprit abattu
A cru s'envelopper d'une froide vertu,
Et, rêvant de Zénon[1] la trompeuse sagesse,
Sous un manteau stoïque a caché sa faiblesse!
Dans son indifférence un jour enseveli,

---

1. *Zénon* de Citium, philosophe grec (vers 335-vers 265 av. J.-C.), fondateur du stoïcisme, doctrine philosophique qui recommande d'accepter le malheur voulu par le destin, mais qui, dans certains cas, professe le mépris de la vie et admet le suicide.

—— **QUESTIONS** ——

● Vers 29-52. Soulignez la brutale rupture apparente entre les vers 29-30 et ce qui précède; quel terme l'explique (vers 29)? — Quel est le thème de ces vers 29-52? Reliez-le au premier mouvement. — Analysez les images dans les vers 39-48 : comment traduisent-elles l'attitude du poète? Faites la part de la convention, celle d'une sincérité due à des circonstances récentes, celle d'une attitude générale de l'esprit. — Pourquoi Lamartine refuse-t-il les espoirs du Faust de Goethe, comme il avait refusé dans « l'Homme » (pages 30-31), l'orgueil du Manfred de Byron?

60 Pour trouver le repos il invoquait l'oubli :
   Vain repos, faux sommeil! — Tel qu'au pied des collines
   Où Rome sort du sein de ses propres ruines,
   L'œil voit dans ce chaos, confusément épars,
   D'antiques monuments, de modernes remparts,
65 Des théâtres croulants, dont les frontons superbes
   Dorment dans la poussière ou rampent sous les herbes,
   Les palais des héros par les ronces couverts,
   Des dieux couchés au seuil de leurs temples déserts,
   L'obélisque éternel ombrageant la chaumière,
70 La colonne portant une image étrangère,
   L'herbe dans le forum, les fleurs dans les tombeaux,
   Et ces vieux panthéons peuplés de dieux nouveaux;
   Tandis que, s'élevant de distance en distance,
   Un faible bruit de vie interrompt ce silence*...
75 Telle est notre âme* après ces longs ébranlements :
   Secouant la raison jusqu'en ses fondements,
   Le malheur n'en fait plus qu'une immense ruine,
   Où comme un grand débris le désespoir* domine;
   De sentiments éteints silencieux* chaos,
80 Éléments opposés*, sans vie et sans repos,
   Restes des passions par le temps effacées,
   Combat désordonné de vœux et de pensées,
   Souvenirs expirants, regrets, dégoûts, remords.
   Si du moins ces débris nous attestaient sa mort*!
85 Mais sous ce vaste deuil l'âme* encore est vivante;
   Ce feu sans aliment soi-même s'alimente;
   Il renaît de sa cendre, et ce fatal flambeau
   Craint de brûler encore au-delà du tombeau.

────────── **QUESTIONS** ──────────

● Vers 53-88. Par quelles métaphores s'exprime le caractère artificiel
de la philosophie stoïcienne? Si on se rappelle l'influence du stoïcisme
sur les moralistes français de l'âge classique, quelle importance faut-il
attribuer à cette attitude de Lamartine? — Comment est construite la
grande image des vers 61-83? Quelle allure son ampleur donne-t-elle
à cette partie du poème? — La poésie des ruines (vers 61-74) : l'impression dominante qui se dégage de cette évocation; comment le tableau
des ruines prépare-t-il l'image du trouble de l'âme (vers 75-83)? — La
tradition littéraire du thème des ruines (Diderot, Volney, Chateaubriand).
Lamartine doit-il beaucoup au chapitre du *Génie du christianisme* (Troisième partie, livre IV, chap. iii-v)? Pourquoi pense-t-on aussi à certains
vers des *Antiquités de Rome* et des *Regrets* de Du Bellay, que Lamartine
ne connaissait sans doute pas? — Quelle nouvelle progression dans les
idées est marquée par les vers 85-88?

Ame*, qui donc es-tu? flamme qui me dévore[1],
90 Dois-tu vivre après moi? dois-tu souffrir encore?
Hôte mystérieux, que vas-tu devenir?
Au grand flambeau du jour vas-tu te réunir?
Peut-être de ce feu tu n'es qu'une étincelle,
Qu'un rayon égaré, que cet astre rappelle;
95 Peut-être que, mourant lorsque l'homme est détruit,
Tu n'es qu'un suc plus pur que la terre a produit,
Une fange animée, une argile pensante...
Mais que vois-je? A ce mot tu frémis d'épouvante :
Redoutant le néant, et lasse de souffrir,
100 Hélas! Tu crains de vivre et trembles de mourir.

— Qui te révélera, redoutable mystère?
J'écoute en vain la voix des sages de la terre :
Le doute égare aussi ces sublimes esprits,
Et de la même argile ils ont été pétris.
105 Rassemblant les rayons de l'antique sagesse,
Socrate te cherchait aux beaux jours de la Grèce,
Platon à Sunium te cherchait après lui :
Deux mille ans sont passés, je te cherche aujourd'hui;
Deux mille ans passeront, et les enfants des hommes
110 S'agiteront encor dans la nuit où nous sommes.
La vérité rebelle échappe à nos regards,
Et Dieu* seul réunit tous ses rayons épars.

— Ainsi, prêt à fermer mes yeux à la lumière,
Nul espoir* ne viendra consoler ma paupière :
115 Mon âme* aura passé, sans guide et sans flambeau,
De la nuit d'ici-bas dans la nuit du tombeau,
Et j'emporte au hasard, au monde où je m'élance,
Ma vertu sans espoir*, mes maux sans récompense.
Réponds-moi, Dieu* cruel! S'il est vrai que tu sois,

---

1. *Dévore* : licence poétique (pour « dévores »).

──────── QUESTIONS ────────

● VERS 89-112. Les deux hypothèses sur la nature de l'âme (vers 89-98) : comment symbolisent-elles deux tendances fondamentalement opposées de la philosophie? — Le vers 100 : quelle étape dans la méditation marque-t-il par rapport au début du poème? — Pourquoi l'autorité des *sages* ne peut-elle non plus garantir la vérité? Le choix de Socrate et de Platon (vers 106-107) comme exemple de la sagesse philosophique : en quoi est-il significatif? — La conclusion (vers 112) de ces réflexions : le Dieu invoqué ici est-il le même qu'au vers 1?

120 J'ai donc le droit fatal de maudire tes lois!
   Après le poids du jour, du moins le mercenaire
   Le soir s'assied à l'ombre, et reçoit son salaire;
   Et moi, quand je fléchis sous le fardeau du sort,
   Quand mon jour est fini, mon salaire est la mort*!
. . . .
125 Mais, tandis qu'exhalant le doute et le blasphème,
   Les yeux sur mon tombeau, je pleure sur moi-même,
   La foi, se réveillant comme un doux souvenir,
   Jette un rayon d'espoir* sur mon pâle avenir,
   Sous l'ombre de la mort* me ranime et m'enflamme,
130 Et rend à mes vieux jours la jeunesse de l'âme.
   Je remonte, aux lueurs de ce flambeau divin*,
   Du couchant de ma vie à son riant matin;
   J'embrasse d'un regard la destinée* humaine;
   A mes yeux satisfaits tout s'ordonne et s'enchaîne;
135 Je lis dans l'avenir la raison du présent;
   L'espoir* ferme après moi les portes du néant,
   Et, rouvrant l'horizon à mon âme* ravie,
   M'explique par la mort* l'énigme de la vie.

   Cette foi qui m'attend au bord de mon tombeau,
140 Hélas! il m'en souvient, plana sur mon berceau.
   De la terre promise immortel héritage,
   Les pères à leurs fils l'ont transmis d'âge en âge.
   Notre esprit la reçoit à son premier réveil,
   Comme les dons d'en haut, la vie et le soleil;
145 Comme le lait de l'âme*, en ouvrant la paupière,
   Elle a coulé pour nous des lèvres d'une mère;
   Elle a pénétré l'homme en sa tendre saison;
   Son flambeau dans les cœurs* précéda la raison.
   L'enfant, en essayant sa première parole,
150 Balbutie au berceau son sublime symbole,

———— QUESTIONS ————

● Vers 113-124. Le tragique de la condition humaine : ce pessimisme
est-il une attitude fréquente chez Lamartine? Commentez les vers 119-
120 : cette révolte a-t-elle la même cause que chez Byron et chez Vigny?
Quelle précision les vers 121-124 apportent-ils sur ce point?

● Vers 125-138. L'effet de contraste né du changement de ton, de rythme.
Sur quel nouveau registre reparaissent les images fondamentales qui
soutenaient le poème dès son début? — Le motif qui ramène le poète à
la foi est-il d'ordre métaphysique? — Comment la foi résout-elle le problème du mal (vers 133-138)? Cette solution est-elle satisfaisante?

Et, sous l'œil maternel germant à son insu,
Il la sent dans son cœur* croître avec la vertu.

Ah! si la vérité fut faite pour la terre,
Sans doute elle a reçu ce simple caractère;
155 Sans doute dès l'enfance offerte à nos regards,
Dans l'esprit par les sens entrant de toutes parts,
Comme les purs rayons de la céleste flamme,
Elle a dû dès l'aurore environner notre âme*,
De l'esprit par l'amour* descendre dans les cœurs*,
160 S'unir au souvenir, se fondre dans les mœurs;
Ainsi qu'un grain fécond que l'hiver couvre encore,
Dans notre sein longtemps germer avant d'éclore,
Et quand l'homme a passé son orageux été,
Donner son fruit divin* pour l'immortalité.

165 Soleil mystérieux! flambeau d'une autre sphère,
Prête à mes yeux mourants ta mystique lumière!
Pars du sein du Très-Haut, rayon consolateur!
Astre vivifiant, lève-toi dans mon cœur*!
Hélas! je n'ai que toi; dans mes heures funèbres,
170 Ma raison qui pâlit m'abandonne aux ténèbres;
Cette raison superbe, insuffisant flambeau,
S'éteint comme la vie aux portes du tombeau,
Viens donc la remplacer, ô céleste lumière!
Viens d'un jour sans nuage inonder ma paupière;
175 Tiens-moi lieu du soleil que je ne dois plus voir,
Et brille à l'horizon comme l'astre du soir.

───────── **QUESTIONS** ─────────

● Vers 139-164. La naissance de la foi selon Lamartine : est-ce seulement croyance apprise (vers 124-146)? Est-ce une disposition innée de l'être (vers 151,158, 162)? Comment le poète tente-t-il de concilier deux définitions différentes de la croyance? Réussit-il à maintenir la définition de la religion considérée comme révélation? — Commentez les vers 153-154 : en quoi s'opposent-ils à l'idée exprimée aux vers 101-102?

● Vers 165-177. Lumière et vérité : comment reparaît pour couronner le poème la grande image antithétique qui soutient toute la méditation? Cette image a-t-elle seulement valeur de symbole?

■ Sur l'ensemble du poème « la foi ». — La composition du poème. Dégagez le caractère dramatique de cette méditation : tient-il seulement à l'opposition entre les deux grandes parties du poème?
— La sincérité du poète : le doute et la révolte (vers 1-124) lui sont-ils habituels? Pourquoi cependant son inquiétude et son angoisse ont-elles un ton plus convaincant que la certitude exprimée aux vers 125-176?

XV. — LE GOLFE DE BAÏA[1]
PRÈS DE NAPLES

Écrit probablement en 1815, ce poème, inspiré par Graziella, faisait partie des premières *Élégies*.

> Vois-tu comme le flot paisible
> Sur le rivage vient mourir?
> Vois-tu le volage zéphyr
> Rider, d'une haleine insensible,
> 5   L'onde qu'il aime à parcourir?
> Montons sur la barque légère
> Que ma main guide sans efforts,
> Et de ce golfe solitaire
> Rasons timidement les bords.
>
> 10   Loin de nous déjà fuit la rive :
> Tandis que d'une main craintive
> Tu tiens le docile aviron,
> Courbé sur la rame bruyante,
> Au sein de l'onde frémissante
> 15   Je trace un rapide sillon.
>
> Dieu! quelle fraîcheur on respire!
> Plongé dans le sein de Téthys[2],
> Le soleil a cédé l'empire
> A la pâle reine des nuits :
> 20   Le sein des fleurs demi-fermées
> S'ouvre, et de vapeurs embaumées
> En ce moment remplit les airs;
> Et du soir la brise légère
> Des plus doux parfums de la terre
> 25   A son tour embaume les mers.
>
> Quels chants sur ces flots retentissent?
> Quels chants éclatent sur ces bords?
> De ces doux concerts qui s'unissent
> L'écho prolonge les accords.
> 30   N'osant se fier aux étoiles,

---

1. *Baïa* ou *Baya*, dans les environs de Naples, fut la plus célèbre station balnéaire de l'Empire romain; **2.** *Téthys* : divinité marine.

Le pêcheur, repliant ses voiles,
Salue, en chantant, son séjour;
Tandis qu'une folle jeunesse
Pousse au ciel des cris d'allégresse,
35 Et fête son heureux retour.

Mais déjà l'ombre* plus épaisse
Tombe, et brunit les vastes mers;
Le bord s'efface, le bruit cesse,
Le silence* occupe les airs.
40 C'est l'heure où la Mélancolie
S'assied pensive et recueillie
Aux bords silencieux* des mers,
Et, méditant sur les ruines,
Contemple au penchant des collines
45 Ce palais, ces temples déserts*.

O de la liberté* vieille et sainte patrie!
Terre autrefois féconde en sublimes vertus,
Sous d'indignes Césars[1] maintenant asservie,
Ton empire est tombé, tes héros ne sont plus!
50 Mais dans ton sein l'âme* agrandie
Croit sur leurs monuments respirer leur génie*,
Comme on respire encor dans un temple aboli
La majesté du dieu dont il était rempli.
Mais n'interrogeons pas vos cendres généreuses,

---

1. En réalité, Ferdinand IV était déjà rétabli dans son royaume des Deux-Siciles en 1815; mais l'allusion semble viser Murat, nommé roi de Naples par Napoléon, et qui tenta, même après Waterloo, de conserver sa couronne.

─────── **QUESTIONS** ───────

● Vers 1-45. Le mouvement de cette description : déroulement du temps et succession des images. Relevez tous les termes qui créent l'harmonie entre les divers éléments de l'ensemble. L'accord des différentes sensations : étudiez le choix des verbes et des adjectifs, la répétition de certains termes. Peut-on déjà parler de correspondances entre les sensations? — La présence des personnages aux vers 1-15, puis aux vers 25-35 : quel genre d'animation donne-t-elle à la scène? — Y a-t-il du pittoresque dans ce tableau? Quels traits discrets caractérisent cet horizon italien? Par comparaison avec le paysage du « Lac », définissez les moyens descriptifs propres à Lamartine. — La versification : pourquoi avoir choisi l'octosyllabe? La valeur expressive du rejet au vers 21 et des enjambements (vers 21-22 et 23-25). — La transition entre le récit et la méditation vous paraît-elle naturelle (vers 40-45)?

55 Vieux Romains, fiers Catons[1], mânes des deux Brutus[2] !
Allons redemander à ces murs abattus
Des souvenirs plus doux, des ombres* plus heureuses.

        Horace[3], dans ce frais séjour,
        Dans une retraite embellie
60   Par le plaisir et le génie*,
        Fuyait les pompes de la cour ;
        Properce[4] y visitait Cynthie,
        Et sous les regards de Délie
Tibulle[5] y modulait les soupirs de l'amour*.
65 Plus loin, voici l'asile où vint chanter le Tasse[6],
Quand, victime à la fois du génie* et du sort,
Errant dans l'univers, sans refuge et sans port,
La pitié recueillit son illustre disgrâce.
Non loin des mêmes bords, plus tard il vint mourir ;
70 La gloire* l'appelait, il arrive, il succombe :
La palme qui l'attend devant lui semble fuir,
Et son laurier tardif n'ombrage que sa tombe.

        Colline de Baïa ! poétique séjour !
        Voluptueux vallon qu'habita tour à tour
75   Tout ce qui fut grand dans le monde,
        Tu ne retentis plus de gloire* ni d'amour*.
        Pas une voix qui me réponde,

---

1. *Caton* le Censeur (232-149), souvent cité comme un modèle de vertu républi-caine, et son arrière-petit-fils *Caton* d'Utique, qui se suicida après la victoire de César sur les républicains, en 46 av. J.-C. ; 2. Un *Brutus* chassa Tarquin, roi de Rome, en 509 av. J.-C., et institua la république. Un autre *Brutus* (86-42 av. J.-C.) assassina Jules César en 44. Puis, vaincu à la tête des troupes républicaines, il se suicida ; 3. *Horace* (65-8 av. J.-C.), poète latin, surtout connu par ses odes épicuriennes ; 4. *Properce* (47?-15? av. J.-C.), auteur d'élégies inspirées par une jeune femme qu'il célébra sous le nom de Cynthie ; 5. *Tibulle* (54-19 av. J.-C.), auteur d'élégies célé-brant son amour pour Délie et son goût de la vie champêtre ; 6. *Le Tasse* : voir « la Gloire », vers 29 et la note, page 51.

■ **QUESTIONS** ━━━━━━━━━━━━

● Vers 46-72. Le thème de la méditation : comment Lamartine essaie-t-il une fois de plus de concilier deux traditions, qui sont liées l'une et l'autre à l'image du génie romain ? Quels noms (vers 55, 58, 62, 64) symbolisent ces deux aspects ? Pourquoi le poète ne veut-il pas s'attarder aux consi-dérations historiques et politiques (vers 54-57) ? — Comment se justifient le passage à l'octosyllabe (vers 58-63), puis le retour à l'alexandrin ? Pourquoi avoir longuement associé le Tasse aux poètes latins (vers 65-72) ?

Que le bruit plaintif de cette onde,
Ou l'écho réveillé des débris d'alentour!

80   Ainsi tout change, ainsi tout passe;
        Ainsi nous-mêmes nous passons,
        Hélas! sans laisser plus de trace
        Que cette barque où nous glissons
        Sur cette mer où tout s'efface.

XVI. — LE TEMPLE

Ce poème, écrit avant 1817, faisait partie des premières *Élégies*.

Qu'il est doux, quand du soir l'étoile solitaire*,
Précédant de la nuit le char silencieux*,
S'élève lentement dans la voûte des cieux,
Et que l'ombre* et le jour se disputent la terre;
5 Qu'il est doux de porter ses pas religieux
Dans le fond du vallon, vers ce temple rustique
Dont la mousse a couvert le modeste portique,
Mais où le ciel encor parle à des cœurs* pieux!

Salut, bois consacré! Salut, champ funéraire,
10 Des tombeaux du village humble dépositaire!
Je bénis en passant tes simples monuments.
Malheur à qui des morts* profane la poussière!
J'ai fléchi le genou devant leur humble pierre,
Et la nef a reçu mes pas retentissants.

15 Quelle nuit! Quel silence*! Au fond du sanctuaire
A peine on aperçoit la tremblante lumière

─────── **QUESTIONS** ───────

● VERS 73-84. Par quelles étapes le poème revient-il à l'image du début? — La valeur du rythme et des sons; d'où vient l'impression que l'on glisse peu à peu vers le pianissimo final?

■ SUR L'ENSEMBLE DU POÈME « LE GOLFE DE BAÏA ». — Par quel procédé le poète a-t-il su rendre vivante cette méditation? — Qu'est-ce qui révèle que ce poème est une œuvre de jeunesse? Relevez les souvenirs littéraires, les lieux communs. Comment s'affirme déjà cependant la personnalité de Lamartine? En quoi ce poème diffère-t-il déjà de l'élégie classique?

De la lampe qui brûle auprès des saints* autels.
Seule elle luit encor quand l'univers sommeille,
Emblème consolant de la bonté qui veille
20 Pour recueillir ici les soupirs des mortels.

Avançons. Aucun bruit n'a frappé mon oreille;
Le parvis seul frémit sous mes pas mesurés;
Du sanctuaire enfin j'ai franchi les degrés.
Murs sacrés, saints* autels! Je suis seul, et mon âme*
25 Peut verser devant vous ses douleurs et sa flamme,
Et confier au ciel des accents ignorés,
Que lui seul connaîtra, que vous seuls entendrez.

Mais quoi, de ces autels j'ose approcher sans crainte!
J'ose apporter, grand Dieu*, dans cette auguste enceinte
30 Un cœur* encore brûlant de douleur et d'amour*!
Et je ne tremble pas que ta majesté sainte
Ne venge le respect qu'on doit à son séjour!
Non, je ne rougis plus du feu qui me consume.
L'amour* est innocent quand la vertu l'allume,
35 Aussi pur que l'objet à qui je l'ai juré.
Le mien brûle mon cœur*, mais c'est d'un feu sacré;
La constance l'honore et le malheur l'épure.
Je l'ai dit à la terre, à toute la nature;
Devant tes saints* autels je l'ai dit sans effroi :
40 J'oserais, Dieu* puissant, la nommer devant toi.
Oui, malgré la terreur que ton temple m'inspire,
Ma bouche a murmuré tout bas le nom d'Elvire;
Et ce nom répété de tombeaux en tombeaux,
Comme l'accent plaintif d'une ombre* qui soupire,
45 De l'enceinte funèbre a troublé le repos.

─────── **QUESTIONS** ───────

● Vers 1-27. Relevez les expressions qui donnent à cette partie descriptive son mouvement (vers 5, 11, 14, 21, 23); comment l'expression des sentiments fait-elle écho aux différentes étapes de la marche du poète? — Le moment (vers 1-5), le cadre (vers 6) : quelles impressions contribuent-ils à créer? — Le sentiment que fait naître la vue du cimetière (vers 9-14). Le vers 12 est-il seulement un lieu commun? Rapprochez-le du vers 45. Comparez cette poésie du cimetière au *Génie du christianisme* (Quatrième partie, livre II, chap. VII-IX). — La valeur symbolique de la lampe (vers 15-20) : comment s'associent lumière et *bonté* (vers 19)? — Dans quelle intention est faite cette visite (vers 25-27)? Qu'en conclure sur le ton particulier de cette méditation?

Adieu, froids monuments! adieu, saintes* demeures!
Deux fois l'écho nocturne a répété les heures,
Depuis que devant vous mes larmes ont coulé :
Le ciel a vu ces pleurs, et je sors consolé.
50 Peut-être au même instant, sur un autre rivage,
Elvire veille aussi, seule avec mon image,
Et dans un temple obscur, les yeux baignés de pleurs
Vient aux autels déserts* confier ses douleurs.

XXII. — DIEU

Composé au printemps de 1819, ce poème est dédié à Lamennais, dont l'*Essai sur l'indifférence en matière de religion*, publié à partir de 1817, avait suscité l'admiration de Lamartine. L'auteur y tentait de secouer l'indifférence de ses contemporains et de montrer la vérité du christianisme par des arguments rationnels.

A M. l'abbé F. de Lamennais.

Oui, mon âme* se plaît à secouer ses chaînes :
Déposant le fardeau des misères humaines,
Laissant errer mes sens dans ce monde des corps,
Au monde des esprits je monte sans efforts.
5 Là, foulant à mes pieds cet univers visible,

─────── **QUESTIONS** ───────

● Vers 28-53. D'où naît l'accord entre le sentiment religieux et l'amour? Commentez les vers 34-37 : l'héritage de Rousseau n'y est-il pas visible? — Le rôle de la nature (vers 38); la progression dramatique de l'aveu (vers 38-45) : comment le rythme des vers traduit-il une émotion croissante? — Qu'a d'émouvant l'évocation de la scène imaginée aux vers 50-53? Sur quelle note se termine le poème?

■ Sur l'ensemble du poème « le Temple ». — La composition du poème. Le mot *autels* est répété cinq fois (vers 17, 24, 28, 29, 53) : montrez qu'il est prononcé chaque fois sur un ton différent; la valeur de ce mot thème.

— Les thèmes de méditation : en quoi reprennent-ils une tradition apparue déjà dans la littérature sensible du siècle précédent? Comment s'accordent-ils avec d'autres poèmes des *Méditations* où Lamartine associe le sentiment religieux et l'amour humain.

— Les commentateurs hésitent sur l'inspiratrice et sur la date de composition de ce poème. (Voir au sujet des premières *Elégies* la Notice, page 11, et les notes 1 et 2.) Les vers 34-37 et 50-53 permettent-ils de résoudre ce problème? Est-il nécessaire, d'ailleurs, de le résoudre pour apprécier la beauté du poème?

Je plane en liberté* dans les champs du possible[1].
Mon âme* est à l'étroit dans sa vaste prison :
Il me faut un séjour qui n'ait pas d'horizon.

Comme une goutte d'eau dans l'Océan versée,
10 L'infini dans son sein absorbe ma pensée;
Là, reine de l'espace et de l'éternité,
Elle ose mesurer le temps, l'immensité,
Aborder le néant, parcourir l'existence,
Et concevoir de Dieu* l'inconcevable essence.
15 Mais sitôt que je veux peindre ce que je sens,
Toute parole expire en efforts impuissants;
Mon âme* croit parler, ma langue embarrassée
Frappe l'air de vingt sons, ombre de ma pensée.
Dieu* fit pour les esprits deux langages divers :
20 En sons articulés l'un vole dans les airs;
Ce langage borné s'apprend parmi les hommes;
Il suffit aux besoins de l'exil* où nous sommes,
Et, suivant des mortels les destins* inconstants,
Change avec les climats ou passe avec les temps.
25 L'autre, éternel, sublime, universel, immense,
Est le langage inné de toute intelligence :
Ce n'est point un son mort dans les airs répandu,
C'est un verbe vivant dans le cœur* entendu;
On l'entend, on l'explique, on le parle avec l'âme*;
30 Ce langage senti touche, illumine, enflamme :
De ce que l'âme* éprouve interprètes brûlants,
Il n'a que des soupirs, des ardeurs, des élans;
C'est la langue du ciel que parle la prière*,
Et que le tendre amour* comprend seul sur la terre.

35 Aux pures régions où j'aime à m'envoler,
L'enthousiasme aussi vient me la révéler;
Lui seul est mon flambeau dans cette nuit profonde,
Et mieux que la raison il m'explique le monde.
Viens donc! il est mon guide, et je veux t'en servir.
40 A ses ailes de feu, viens, laisse-toi ravir!
Déjà l'ombre* du monde à nos regards s'efface :

---

1. Voir « l'Homme », vers 95-96, page 32.

Nous échappons au temps, nous franchissons l'espace,
Et, dans l'ordre éternel de la réalité,
Nous voilà face à face avec la vérité !

45 Cet astre universel, sans déclin, sans aurore,
C'est Dieu*, c'est ce grand tout, qui soi-même s'adore !
Il est ; tout est en lui : l'immensité, les temps,
De son être infini sont les purs éléments ;
L'espace est son séjour, l'éternité son âge ;
50 Le jour est son regard, le monde est son image :
Tout l'univers subsiste à l'ombre de sa main ;
L'être à flots éternels découlant de son sein,
Comme un fleuve nourri par cette source immense,
S'en échappe, et revient finir où tout commence.

55 Sans bornes comme lui, ses ouvrages parfaits
Bénissent en naissant la main qui les a faits :
Il peuple l'infini chaque fois qu'il respire ;
Pour lui, vouloir c'est faire, exister c'est produire !
Tirant tout de soi seul, rapportant tout à soi,
60 Sa volonté suprême est sa suprême loi.
Mais cette volonté, sans ombre* et sans faiblesse,
Est à la fois puissance, ordre, équité, sagesse.
Sur tout ce qui peut être il l'exerce à son gré ;

─────── **QUESTIONS** ───────

● VERS 1-44. Le thème de ce début : à quelle inspiration théologique et philosophique se rattache cette image d'un double univers auquel participe l'homme ? — En quels termes le poète oppose-t-il le monde matériel et le monde spirituel (vers 1-8) ? La beauté de l'image cosmique (vers 5-8) : comment les termes métaphysiques enrichissent-ils l'image sans la tirer cependant vers l'abstraction ? — Étudiez les termes qui tentent d'exprimer le sentiment de l'infini et la joie spirituelle (vers 9-14). — L'impuissance du poète à rendre ce qu'il éprouve (vers 15-18) : a-t-il sur ce point un privilège qui le distingue des autres hommes ? — Est-ce seulement la tradition biblique qui est rappelée dans les vers 19-24 ? Comment s'affirme une fois de plus la distinction entre les deux mondes, matériel et spirituel (vers 19-34) ? — Relevez tous les termes qui, jusqu'au mot *exil* (vers 22), définissent la condition de l'homme sur la Terre. — Le second langage (vers 25-34) : quels sont ses moyens d'expression ? N'a-t-il pas de traduction possible dans le langage des mots ? — *Intelligence* (vers 26), *cœur* (vers 28), *âme* (vers 29-31) sont ici associés : quelle est la valeur de chacun de ces termes ? Expliquez *enthousiasme*, en rappelant l'importance qu'avait déjà ce mot pour Mme de Staël (*De l'Allemagne*, Quatrième partie) ; pourquoi opposer la *raison* (vers 38) à l'enthousiasme ? — Comparez les vers 39-44 aux vers 1-8 : la reprise du thème se fait-elle sur le même rythme ?

LAMENNAIS (1782-1854)
Portrait par Paulin-Guérin. Collection particulière.

Le néant jusqu'à lui s'élève par degré :
65 Intelligence, amour*, force, beauté, jeunesse,
Sans s'épuiser jamais, il peut donner sans cesse;
Et, comblant le néant de ses dons précieux,
Des derniers rangs de l'être il peut tirer des dieux!
Mais ces dieux[1] de sa main, ces fils de sa puissance,
70 Mesurent d'eux à lui l'éternelle distance,
Tendant par leur nature à l'être qui les fit :
Il est leur fin à tous, et lui seul se suffit!

Voilà, voilà le Dieu* que tout esprit adore,
Qu'Abraham a servi, que rêvait Pythagore,
75 Que Socrate annonçait, qu'entrevoyait Platon;
Ce Dieu* que l'univers révèle à la raison,
Que la justice attend, que l'infortune espère,
Et que le Christ enfin vint montrer à la terre!
Ce n'est plus là ce Dieu* par l'homme fabriqué,
80 Ce Dieu* par l'imposture à l'erreur expliqué,
Ce Dieu* défiguré par la main des faux prêtres,
Qu'adoraient en tremblant nos crédules ancêtres :
Il est seul, il est un, il est juste, il est bon;
La terre voit son œuvre, et le ciel sait son nom!

85 Heureux qui le connaît! plus heureux qui l'adore!
Qui, tandis que le monde ou l'outrage ou l'ignore,
Seul, aux rayons pieux des lampes de la nuit,

---

1. L'homme est dieu par son intelligence et par son sentiment de l'absolu (voir
« l'Homme », vers 70, page 30).

━━━━━ ● QUESTIONS ━━━━━

● Vers 45-94. La nature de Dieu et ses attributs (vers 45-72) : comment
Lamartine y concilie-t-il l'image monothéiste du Dieu créateur et Providence avec un certain panthéisme? Commentez notamment les vers 52-
56, 65-68 : quel mouvement continu unit Dieu et la création? — Quelle
est la position du poète à l'égard de la Bible, de la philosophie antique,
du christianisme (vers 73-84)? — Le vers 76 n'est-il pas en contradiction
avec le vers 38? La vérité que le poète révèle dans cette partie du poème
a-t-elle d'ailleurs ce caractère ineffable dont il parlait dans les vers 15-34?
— Comparez ce passage avec l' « hymne de la raison » du poème
« l'Homme » (vers 149-250), pages 33-38 : y a-t-il une évolution des idées
de Lamartine sur l'existence et la nature de Dieu? — Quels sont pour
Lamartine les principes fondamentaux de la religion (vers 76-77)? Est-ce
une religion naturelle à la manière de Rousseau ou un christianisme
moderne que propose Lamartine dans les vers 79-84? Comprend-on
mieux ici ce qui le rapproche de Lamennais?

S'élève au sanctuaire où la foi l'introduit,
Et, consumé d'amour* et de reconnaissance,
90 Brûle, comme l'encens, son âme* en sa présence!
Mais, pour monter à lui, notre esprit abattu
Doit emprunter d'en haut sa force et sa vertu;
Il faut voler au ciel sur des ailes de flamme :
Le désir et l'amour* sont les ailes de l'âme*.

95 Ah! que ne suis-je né dans l'âge où les humains,
Jeunes, à peine encore échappés de ses mains,
Près de Dieu* par le temps, plus près par l'innocence,
Conversaient avec lui, marchaient en sa présence!
Que n'ai-je vu le monde à son premier soleil!
100 Que n'ai-je entendu l'homme à son premier éveil!
Tout lui parlait de toi, tu lui parlais toi-même;
L'univers respirait ta majesté suprême;
La nature, sortant des mains du Créateur,
Étalait en tous sens le nom de son auteur :
105 Ce nom, caché depuis sous la rouille des âges,
En traits plus éclatants brillait sur tes ouvrages;
L'homme dans le passé ne remontait qu'à toi;
Il invoquait son père, et tu disais : « C'est moi. »

Longtemps comme un enfant ta voix daigna l'instruire,
110 Et par la main longtemps tu voulus le conduire.
Que de fois dans ta gloire* à lui tu t'es montré,
Aux vallons de Sennar[1], aux chênes de Membré[2],
Dans le buisson d'Horeb[3], ou sur l'auguste cime
Où Moïse aux Hébreux dictait sa loi sublime!
115 Ces enfants de Jacob, premiers-nés des humains,
Reçurent quarante ans la manne de tes mains :
Tu frappais leur esprit par tes vivants oracles;
Tu parlais à leurs yeux par la voix des miracles;
Et lorsqu'ils t'oubliaient, tes anges descendus
120 Rappelaient ta mémoire à leurs cœurs* éperdus.
Mais enfin, comme un fleuve éloigné de sa source,

---

1. C'est « dans une vallée du pays de *Sennar* » que les hommes bâtirent la tour de Babel (Genèse, XI, 5). Le Seigneur descendit sur la Terre pour voir la ville et la tour; 2. *Les chênes de Membré*, où Abraham résidait quand le Seigneur lui apparut, lui promettant une descendance aussi nombreuse que les étoiles, et fit alliance avec lui et sa postérité (Genèse, XIV-XVII); 3. *Horeb* : montagne de l'Arabie Pétrée, au nord-ouest du Sinaï, où Dieu se révéla à Moïse dans le buisson ardent (Exode, III).

Ce souvenir si pur s'altéra dans sa course;
De cet astre vieilli la sombre nuit des temps
Éclipsa par degrés les rayons éclatants.
125 Tu cessas de parler : l'oubli, la main des âges,
Usèrent ce grand nom empreint dans tes ouvrages;
Les siècles en passant firent pâlir la foi;
L'homme plaça le doute entre le monde et toi.

Oui, ce monde, Seigneur, est vieilli pour ta gloire*;
130 Il a perdu ton nom, ta trace et ta mémoire;
Et pour les retrouver il nous faut, dans son cours,
Remonter flots à flots le long fleuve des jours.
Nature, firmament! l'œil en vain vous contemple :
Hélas! sans voir le Dieu*, l'homme admire le temple;
135 Il voit, il suit en vain, dans les déserts* des cieux,
De leurs mille soleils le cours mystérieux;
Il ne reconnaît plus la main qui les dirige :
Un prodige éternel cesse d'être un prodige.
Comme ils brillaient hier, ils brilleront demain!
140 Qui sait où commença leur glorieux* chemin?
Qui sait si ce flambeau, qui luit et qui féconde,
Une première fois s'est levé sur le monde?
Nos pères n'ont point vu briller son premier tour,
Et les jours éternels n'ont point de premier jour.
145 Sur le monde moral en vain ta providence
Dans ces grands changements révèle ta présence,
C'est en vain qu'en tes jeux l'empire des humains

━━━ QUESTIONS ━━━

● Vers 95-128. Est-ce exactement le thème du paradis perdu qui apparaît ici? — L'héritage de Chateaubriand : analysez la poésie de ces évocations bibliques (vers 109-120) : quels sentiments envers Dieu impliquent-elles (vers 110-111, 116, 120)? L'impression produite par le tutoiement (vers 101-102, 106-108). — Les causes de l'indifférence religieuse selon Lamartine : dans quelle mesure Dieu (vers 125) a-t-il abandonné l'homme?

● Vers 129-152. En quoi la reprise du thème aux vers 129-132 est-elle caractéristique du rythme lamartinien? Rapprochez le vers 132 des vers 121 et 53 : étudiez les variations sur la même image. — Quelle preuve la nature offre-t-elle de l'existence de Dieu (vers 133-144)? Expliquez le vers 138.
— La preuve historique de l'existence de Dieu (vers 146-152) : en quoi Lamartine retrouve-t-il l'explication théologique de Bossuet? — Comment le scepticisme religieux s'explique-t-il? Comparez le vers 152 aux vers 125-127. — Le caractère dramatique de cette rétrospective (vers 95-152) : l'histoire de l'esprit humain selon Lamartine.

Passe d'un sceptre à l'autre, errant de mains en mains ;
Nos yeux, accoutumés à sa vicissitude,
150 Se sont fait de la gloire* une froide habitude :
Les siècles ont tant vu de ces grands coups du sort :
Le spectacle est usé, l'homme engourdi s'endort.

Réveille-nous, grand Dieu* ! parle, et change le monde ;
Fais entendre au néant ta parole féconde ;
155 Il est temps ! lève-toi ! sors de ce long repos ;
Tire un autre univers de cet autre chaos.
A nos yeux assoupis il faut d'autres spectacles ;
A nos esprits flottants il faut d'autres miracles.
Change l'ordre des cieux, qui ne nous parle plus !
160 Lance un nouveau soleil à nos yeux éperdus ;
Détruis ce vieux palais, indigne de ta gloire* ;
Viens ! montre-toi toi-même, et force-nous de croire !
Mais peut-être, avant l'heure où dans les cieux déserts*
Le soleil cessera d'éclairer l'univers,
165 De ce soleil moral la lumière éclipsée
Cessera par degrés d'éclairer la pensée,
Et le jour qui verra ce grand flambeau détruit
Plongera l'univers dans l'éternelle nuit !
Alors tu briseras ton inutile ouvrage.
170 Ses débris foudroyés rediront d'âge en âge :
« Seul je suis ! hors de moi rien ne peut subsister !
L'homme cessa de croire, il cessa d'exister ! »

──────── **QUESTIONS** ────────

● Vers 153-172. L'appel des vers 153-163 ; est-ce à proprement parler
une prière ? Pourquoi est-ce à Dieu et non à l'homme que le poète demande
d'agir ? — La vision finale (vers 163-172) : cette fin du monde concorde-
t-elle avec la tradition biblique et chrétienne ? Dans quelle mesure la
responsabilité de l'homme est-elle engagée dans cette destruction de
l'univers ?

■ Sur l'ensemble du poème « Dieu ». — La composition de cette méditation : par quelles étapes le poète parvient-il au dialogue avec Dieu ?
Est-ce un hymne ? Est-ce une prière ?

— Les croyances de Lamartine ; la nature et les attributs de Dieu :
comparez ce poème à « l'Homme » (page 30) et à « la Prière » (page 53).
Quelles idées fondamentales reparaissent dans ces trois poèmes ? N'y
a-t-il pas cependant quelques nuances ?

— Le rôle du poète en face de l'indicible : Lamartine croit-il possible
d'interpréter ce que les autres hommes ne sauraient exprimer dans leur
langage ? Le poète est-il prophète ?

— La poésie cosmique : peut-on voir ici une puissance comparable
à celle de Hugo dans des poèmes d'une semblable inspiration ?

NOUVELLES MÉDITATIONS

I. — L'ESPRIT DE DIEU

Poème écrit à Paris en 1822, dédié à Louis de Vignet.

Le feu divin qui nous consume
Ressemble à ces feux indiscrets[1]
Qu'un pasteur imprudent allume
Au bord des profondes forêts :
5   Tant qu'aucun souffle ne l'éveille,
L'humble foyer couve et sommeille;
Mais, s'il respire l'aquilon,
Tout à coup la flamme engourdie
S'enfle, déborde, et l'incendie
10 Embrase un immense horizon!

O mon âme*! de quels rivages
Viendra ce souffle inattendu?
Sera-ce un enfant des orages,
Un soupir à peine entendu?
15 Viendra-t-il, comme un doux zéphyre
Mollement caresser ma lyre,
Ainsi qu'il caresse une fleur?
Ou, sous ses ailes frémissantes,
Briser ces cordes gémissantes
20 Du cri perçant de la douleur?

Viens du couchant ou de l'aurore,
Doux ou terrible, au gré du sort :
Le sein généreux qui t'implore
Brave la souffrance ou la mort*.
25 Aux cœurs* altérés d'harmonie
Qu'importe le prix du génie*?
Si c'est la mort*, il faut mourir!...
On dit que la bouche d'Orphée,
Par les flots de l'Hèbre[2] étouffée,
30 Rendit un immortel soupir.

---

1. *Indiscret* : témoignant de peu de discernement (sens classique); 2. *L'Hèbre*, fleuve de l'ancienne Thrace dans lequel les Ménades (ou Bacchantes) jetèrent les membres d'Orphée.

Mais, soit qu'un mortel vive ou meure,
Toujours rebelle à nos souhaits,
L'Esprit ne souffle qu'à son heure,
Et ne se repose jamais...
35   Préparons-lui des lèvres pures,
Un œil chaste, un front sans souillures,
Comme, aux approches du saint* lieu,
Des enfants, des vierges voilées,
Jonchent de roses effeuillées
40   La route où va passer un Dieu*!

Fuyant les bords qui l'ont vu naître,
De Laban[1] l'antique berger,
Un jour, devant lui vit paraître
Un mystérieux étranger[2].
45   Dans l'ombre*, ses larges prunelles
Lançaient de pâles étincelles;
Ses pas ébranlaient le vallon;
Le courroux gonflait sa poitrine
Et le souffle de sa narine
50   Résonnait comme l'aquilon.

Dans un formidable silence*
Ils se mesurent un moment;
Soudain l'un sur l'autre s'élance,
Saisi d'un même emportement.
55   Leurs bras menaçants se replient,
Leurs fronts luttent, leurs membres crient,
Leurs flancs pressent leurs flancs pressés;
Comme un chêne qu'on déracine,

---

1. *Laban*, beau-frère de Jacob; 2. La Genèse, XXXII, est la source d'inspiration de cet épisode.

QUESTIONS

● VERS 1-40. Quelle est cette conception de la création poétique ? — Que représentent *le feu divin* (vers 1) et *l'aquilon* (vers 7)? — Par quelles images le poète exprime-t-il le mystère et la diversité de l'inspiration (vers 11-20)? L'unité et l'enchaînement de ces images : à quelle tradition se rattachent-elles? — Pourquoi le poète accepte-t-il la souffrance et la mort (vers 21-30)? — Quel nouveau vocabulaire pénètre dans le poème avec le vers 33? Par quelles images (vers 35-40) le poète harmonise-t-il la pureté chrétienne avec le délire poétique?

Leur tronc se balance et s'incline
60 Sur leurs genoux entrelacés.

Tous deux ils glissent dans la lutte,
Et Jacob, enfin terrassé,
Chancelle, tombe, et dans sa chute
Entraîne l'ange renversé :
65 Palpitant de crainte et de rage,
Soudain le pasteur se dégage
Des bras du combattant des cieux,
L'abat, le presse, le surmonte,
Et sur son sein gonflé de honte
70 Pose un genou victorieux !

Mais sur le lutteur qu'il domine
Jacob encor mal affermi,
Sent à son tour sur sa poitrine
Le poids du céleste ennemi.
75 Enfin, depuis les heures sombres
Où le soir lutte avec les ombres*,
Tantôt vaincu, tantôt vainqueur,
Contre ce rival qu'il ignore
Il combattit jusqu'à l'aurore...
80 Et c'était l'Esprit du Seigneur !

Ainsi dans les ombres* du doute
L'homme, hélas ! égaré souvent,
Se trace à soi-même sa route,
Et veut voguer contre le vent ;
85 Mais dans cette lutte insensée,
Bientôt notre aile terrassée
Par le souffle qui la combat,
Sur la terre tombe essoufflée
Comme la voile désenflée
90 Qui tombe et dort le long du mât.

● QUESTIONS ————————————————

● VERS 41-80. Rappelez brièvement l'épisode biblique repris dans ce passage. — Les procédés épiques dans l'ensemble de ce récit : les adjectifs hyperboliques, les comparaisons, l'amplification des épisodes de la lutte. — L'intérêt dramatique : pourquoi les noms des personnages ne sont-ils révélés que progressivement ? Comment le rythme traduit-il les péripéties du combat (vers 61-70) ? — La valeur poétique des vers 75-76. — Comment revient-on au thème directeur du poème (vers 80) ?

Attendons le souffle suprême
Dans un repos silencieux*;
Nous ne sommes rien de nous-même
Qu'un instrument mélodieux.
95   Quand le doigt d'en haut se retire,
Restons muets comme la lyre
Qui recueille ses saints* transports,
Jusqu'à ce que la main puissante
Touche la corde frémissante
100   Où dorment les divins* accords.

III. — BONAPARTE

Napoléon était mort le 5 mai 1821. Lamartine apprit cette nouvelle quelques semaines plus tard, mais ne composa ce poème qu'en 1823.

Sur un écueil battu par la vague plaintive,
Le nautonier, de loin, voit blanchir sur la rive
Un tombeau près du bord par les flots déposé;
Le temps n'a pas encor bruni l'étroite pierre,
5 Et sous le vert tissu de la ronce et du lierre
On distingue... un sceptre brisé!

Ici gît... Point de nom! demandez à la terre!
Ce nom, il est inscrit en sanglant caractère

─────── **QUESTIONS** ───────

● Vers 81-100. Quelle idée de la Providence apparaît ici (vers 81-90)? — Après l'évocation de la lutte, quelle est l'attitude du poète (vers 91)? Comparez cette attitude à celle du vers 21. — Comment Lamartine renouvelle-t-il (vers 93-94) la métaphore du vers 16? — Relevez les termes religieux (vers 95-100) : quelle conception de la poésie expriment-ils? — Le rythme et le decrescendo dans la dernière strophe.

■ Sur l'ensemble du poème « L'Esprit de Dieu ». — La structure du poème : par quel lien l'épisode central (la lutte de Jacob avec l'ange) se rattache-t-il au thème énoncé par le titre? Est-ce un symbole essentiel à la compréhension du poème ou une image destinée à l'animer?

— Pourquoi ce poème a-t-il été placé en tête des *Nouvelles Méditations*? Quelle est la fonction du poète selon Lamartine? L'enthousiasme poétique qui est défini ici concilie-t-il les traditions païennes et bibliques? La dernière strophe n'annonce-t-elle pas l' « écho sonore » dont parlera Victor Hugo quelques années plus tard dans le premier poème des *Feuilles d'automne*?

Des bords du Tanaïs[1] au sommet du Cédar[2],
10 Sur le bronze et le marbre, et sur le sein des braves,
Et jusque dans le cœur de ces troupeaux d'esclaves
    Qu'il foulait tremblants sous son char.

Depuis les deux grands noms[3] qu'un siècle au siècle annonce,
Jamais nom qu'ici-bas toute langue prononce
15 Sur l'aile de la foudre aussi loin ne vola;
Jamais d'aucun mortel le pied qu'un souffle efface
N'imprima sur la terre une plus forte trace :
    Et ce pied s'est arrêté là...

Il est là!... Sous trois pas un enfant le mesure!
20 Son ombre* ne rend pas même un léger murmure;
Le pied d'un ennemi foule en paix son cercueil.
Sur ce front foudroyant le moucheron bourdonne,
Et son ombre* n'entend que le bruit monotone
    D'une vague contre un écueil.

25 Ne crains pas cependant, ombre* encore inquiète[4],
Que je vienne outrager ta majesté muette.
Non! la lyre aux tombeaux n'a jamais insulté :
La mort* fut de tout temps l'asile de la gloire*.
Rien ne doit jusqu'ici poursuivre une mémoire,
30   Rien... excepté la vérité!

Ta tombe et ton berceau sont couverts d'un nuage.
Mais, pareil à l'éclair, tu sortis d'un orage;
Tu foudroyas le monde avant d'avoir un nom :
Tel ce Nil, dont Memphis boit les vagues fécondes,

---

1. *Tanaïs :* nom ancien du Don; 2. *Cédar :* ville de l'Arabie Pétrée. Il n'y a pas de montagne de ce nom; 3. César et Alexandre; 4. *Inquiet :* qui ne trouve pas la paix.

───────── **QUESTIONS** ─────────

● Vers 1-24. Le mouvement de ces quatre premières strophes : par quel développement le poète retrouve-t-il au vers 24 les termes mêmes du vers 1? Analysez les structures de l'antithèse qui oppose la deuxième strophe à la première et la quatrième à la troisième : quels sont les deux mots qui soutiennent ce jeu de l'antithèse? — Par quelles images se traduit ici la fragilité de la puissance humaine? Le caractère traditionnel de ce thème.

35 Avant d'être nommé, fait bouillonner ses ondes
        Aux solitudes de Memnon[1].

Les dieux étaient tombés, les trônes étaient vides;
La Victoire te prit sur ses ailes rapides;
D'un peuple de Brutus[2] la gloire* te fit roi.
40 Ce siècle, dont l'écume entraînait dans sa course
Les mœurs, les rois, les dieux..., refoulé vers sa source,
        Recula d'un pas devant toi.

Tu combattis l'erreur sans regarder le nombre :
Pareil au fier Jacob, tu luttas contre une ombre*[3];
45 Le fantôme croula sous le poids d'un mortel;
Et, de tous ces grands noms profanateur sublime,
Tu jouas avec eux comme la main du crime
        Avec les vases de l'autel.

Ainsi[4], dans les accès d'un impuissant délire,
50 Quand un siècle vieilli de ses mains se déchire
En jetant dans ses fers un cri de liberté*
Un héros tout à coup de la poudre[5] s'élève,

---

1. *Memnon*, roi légendaire de Thèbes en Égypte; 2. *Brutus* : voir « le Golfe de Baïa », vers 55 et la note, page 68; 3. Voir « l'Esprit de Dieu », vers 41-80, pages 80-81; 4. *Ainsi* reprend les deux strophes précédentes; 5. *Poudre* : poussière.

───────── **QUESTIONS** ─────────

● Vers 25-60. Quels événements expliquent cette inquiétude (vers 25) attribuée à l'ombre de Bonaparte? — L'attitude du poète à l'égard du héros (vers 26-30) : comment le poète sauvegarde-t-il à la fois sa dignité et sa supériorité? Appréciez la restriction du vers 30. — Étudiez les images des vers 31-60 : comment s'apparentent-elles dans leur diversité? Le mouvement épique dans ce passage. — L'ascension de Bonaparte selon Lamartine : d'après les vers 40-42, l'action des grands hommes peut-elle influer sur le « sens de l'histoire »? Quelle interprétation faut-il alors donner au vers 39? Quelle contradiction fondamentale est à l'origine de la monarchie napoléonienne? — Quel reproche Lamartine fait-il aux idées révolutionnaires (vers 43-45, 49, 53)? La comparaison des vers 47-48 ne suggère-t-elle pas une idée de revanche sur les excès révolutionnaires? De quelle *vérité* politique s'agit-il au vers 54? — En quoi les vers 55-60 traduisent-ils une prise de position politique très nette? Quelle pouvait être en 1823 la résonance d'une telle attitude dans l'opinion? Montrez que tout le développement précédent a préparé cette conclusion : pourquoi la restauration monarchique aurait-elle dû suivre le coup d'État de Bonaparte? — Comment l'admiration et la réprobation se partagent-elles les sentiments du poète?

Le frappe avec son sceptre... Il s'éveille, et le rêve
    Tombe devant la vérité!

55 Ah! si, rendant ce sceptre à ses mains légitimes[1],
Plaçant sur ton pavois de royales victimes,
Tes mains des saints* bandeaux avaient lavé l'affront,
Soldat vengeur des rois, plus grand que ces rois même,
De quel divin* parfum[2], de quel pur diadème
60   La gloire* aurait sacré ton front!

Gloire*, honneur, liberté*, ces mots que l'homme adore,
Retentissaient pour toi comme l'airain sonore
Dont un stupide écho répète au loin le son :
De cette langue en vain ton oreille frappée
65 Ne comprit ici-bas que le cri de l'épée
    Et le mâle accord du clairon.

Superbe, et dédaignant ce que la terre admire,
Tu ne demandais rien au monde que l'empire[3].
Tu marchais... tout obstacle était ton ennemi.
70 Ta volonté volait comme ce trait rapide
Qui va frapper le but où le regard le guide,
    Même à travers un cœur* ami.

Jamais, pour éclaircir ta royale tristesse,
La coupe des festins ne te versa l'ivresse;
75 Tes yeux d'une autre pourpre aimaient à s'enivrer.
Comme un soldat debout qui veille sous ses armes,
Tu vis de la beauté le sourire et les larmes,
    Sans sourire et sans soupirer.

Tu n'aimais que le bruit du fer, le cri d'alarmes,
80 L'éclat resplendissant de l'aube sur les armes;
Et ta main ne flattait que ton léger coursier,
Quand les flots ondoyants de sa pâle crinière
Sillonnaient comme un vent la sanglante poussière,
    Et que ses pieds brisaient l'acier.

---

1. Strophe ajoutée au premier manuscrit; 2. *Divin parfum* : huile sainte utilisée pour le sacre des rois; 3. *Empire* : domination.

85 Tu grandis sans plaisir, tu tombas sans murmure.
　　Rien d'humain ne battait sous ton épaisse armure :
　　Sans haine et sans amour*, tu vivais pour penser.
　　Comme l'aigle régnant dans un ciel solitaire*,
　　Tu n'avais qu'un regard pour mesurer la terre,
90　　　　　Et des serres pour l'embrasser.

　　S'élancer d'un seul bond au char de la victoire,
　　Foudroyer l'univers des splendeurs de sa gloire*,
　　Fouler d'un même pied des tribuns et des rois;
　　Forger un joug trempé dans l'amour* et la haine[1],
95 Et faire frissonner sous le frein qui l'enchaîne
　　　　　Un peuple échappé de ses lois[2];

　　Être d'un siècle entier la pensée et la vie,
　　Émousser le poignard, décourager l'envie,
　　Ébranler, raffermir l'univers incertain,
100 Aux sinistres clartés de ta foudre qui gronde,
　　Vingt fois contre les dieux jouer le sort du monde,
　　　　　Quel rêve!!! et ce fut ton destin*!...

　　Tu tombas cependant de ce sublime faîte :
　　Sur ce rocher désert* jeté par la tempête,
105 Tu vis tes ennemis déchirer ton manteau;
　　Et le sort, ce seul dieu qu'adora ton audace,
　　Pour dernière faveur t'accorda cet espace
　　　　　Entre le trône et le tombeau.

_____

1. *L'amour et la haine :* sentiments qu'on lui porte; 2. Voir vers 51.

_____ **QUESTIONS** _____

● Vers 61-90. La personnalité de Napoléon : montrez que tout converge vers le vers 86; à quoi tient le caractère inhumain du personnage? Pourquoi la volonté (vers 70-72) et la pensée (vers 87) ne suffisent-elles pas ici à humaniser le héros? — Ce portrait est-il conforme à la vérité historique? Lamartine ne schématise-t-il pas un peu trop l'absence de passion et de sensibilité (vers 73-78, 85, 87)? — Comment transparaît en « négatif » l'image que le poète se fait de l'homme idéal?

● Vers 91-102. Analysez le mouvement de ces deux strophes, le jeu des images et des antithèses : comment tout est-il destiné à traduire le caractère absolu de cette puissance? Expliquez notamment l'antithèse du vers 99. Rapprochez le vers 101 du vers 87 : comment concilier les deux idées? — Est-ce l'admiration que le poète veut nous faire éprouver ici?

Oh! qui m'aurait donné[1] d'y sonder ta pensée,
110 Lorsque le souvenir de ta grandeur passée
Venait, comme un remords, t'assaillir loin du bruit,
Et que, les bras croisés sur ta large poitrine,
Sur ton front chauve et nu que la pensée incline,
L'horreur passait comme la nuit!

115 Tel qu'un pasteur debout sur la rive profonde
Voit son ombre* de loin se prolonger sur l'onde
Et du fleuve orageux suivre en flottant le cours;
Tel, du sommet[2] désert* de ta grandeur suprême,
Dans l'ombre* du passé te recherchant toi-même,
120 Tu rappelais tes anciens jours.

Ils passaient devant toi comme des flots sublimes
Dont l'œil voit sur les mers étinceler les cimes :
Ton oreille écoutait leur bruit harmonieux;
Et, d'un reflet de gloire* éclairant ton visage,
125 Chaque flot t'apportait une brillante image
Que tu suivais longtemps des yeux.

Là, sur un pont tremblant tu défiais la foudre;
Là, du désert* sacré tu réveillais la poudre[3];
Ton coursier frissonnait dans les flots du Jourdain;
130 Là, tes pas abaissaient une cime escarpée;
Là, tu changeais en sceptre une invincible épée[4];
Ici... Mais quel effroi soudain?

---

1. Sorte de prétérition : l'auteur regrette de n'avoir pas connu des pensées, qu'il expose dans la suite du développement; **2.** *Sommet* est complément de lieu du verbe *rappelais* (vers 120); **3.** *Poudre :* voir vers 52 et la note; **4.** Allusions au pont d'Arcole (vers 127), aux campagnes d'Égypte (vers 128) et de Syrie (vers 129), au passage des Alpes (vers 130) et au sacre (vers 131).

──────── **QUESTIONS** ────────

● VERS 103-126. Quel effet de contraste a été préparé par les vers précédents? Combien d'images suffisent du vers 103 au vers 108 pour représenter l'anéantissement de toute la prodigieuse destinée évoquée dans la première moitié du poème? — Le nouveau mouvement qui débute au vers 109; pourquoi le poète rêve-t-il d'être aux côtés de l'empereur déchu, alors qu'il se sentait si loin de lui, au temps de sa toute-puissance? — Les images et les comparaisons des vers 110-126 : analysez leur ampleur et leur développement. La prédilection de Lamartine pour les horizons animés par les mouvements de l'eau ne trouve-t-elle pas ici une occasion privilégiée de se manifester?

Pourquoi détournes-tu ta paupière éperdue?
D'où vient cette pâleur sur ton front répandue?
135 Qu'as-tu vu tout à coup dans l'horreur du passé?
Est-ce de vingt cités la ruine fumante,
Ou du sang des humains quelque plaine écumante?
      Mais la gloire* a tout effacé.

La gloire* efface tout.. tout, excepté le crime!
140 Mais son doigt me montrait le corps d'une victime,
Un jeune homme[1], un héros d'un sang pur inondé.
Le flot qui l'apportait passait, passait sans cesse;
Et toujours en passant la vague vengeresse
      Lui jetait le nom de Condé...

145 Comme pour effacer une tache livide,
On voyait sur son front passer sa main rapide;
Mais la trace du sang sous son doigt renaissait :
Et, comme un sceau frappé par une main suprême,
La goutte ineffaçable, ainsi qu'un diadème,
150   Le couronnait de son forfait!

C'est pour cela, tyran, que ta gloire* ternie
Fera par ton forfait douter de ton génie*,
Qu'une trace de sang suivra partout ton char,

---

1. Le duc d'Enghien (1772-1804), descendant du Grand Condé. Soupçonné de conjuration, il fut enlevé en territoire allemand, et, après un simulacre de jugement, exécuté à Vincennes. Cet événement marqua la rupture définitive entre Bonaparte et les royalistes.

————— QUESTIONS —————

● Vers 127-150. La transposition épique des exploits cités aux vers 127-131 : sous quel aspect le poète évoque-t-il la diversité des campagnes de Bonaparte? Quelle force magique le héros semble-t-il posséder? — Le caractère dramatique des vers 133-137 : d'où vient le contraste avec le rythme et les images de la strophe précédente? — Rapprochez le vers 135 du vers 114 : comment se confirme la signification que prend cette résurgence du passé? Comparez les vers 140-143 aux vers 121-126 : quels effets pathétiques accentuent la tension qui aboutit à la révélation du vers 144? — A quelle tradition est empruntée l'image des vers 145-150? En quoi la condamnation portée ici est-elle sans appel? — A quelle période de la carrière de Napoléon le poète a-t-il limité l'évocation du passé dans toute cette partie du poème? Montrez que se trouve ainsi justifié le titre. — En reprenant l'accusation lancée dès 1804 à la suite de l'exécution du duc d'Enghien, à quel parti Lamartine semble-t-il donner des gages? Rappelez l'attitude de Chateaubriand à propos du même événement.

Et que ton nom, jouet d'un éternel orage,
155 Sera pour l'avenir ballotté d'âge en âge
       Entre Marius¹ et César.

Tu mourus cependant de la mort* du vulgaire :
Ainsi qu'un moissonneur va chercher son salaire,
Et dort sur sa faucille avant d'être payé,
160 Tu ceignis en mourant ton glaive sur ta cuisse,
Et tu fus demander récompense ou justice
       Au Dieu qui t'avait envoyé!

On dit qu'aux derniers jours de sa longue agonie,
Devant l'éternité seul avec son génie*,
165 Son regard vers le ciel parut se soulever :
Le signe rédempteur toucha son front farouche;
Et même on entendit commencer sur sa bouche
       Un nom... qu'il n'osait achever.

Achève... C'est le Dieu* qui règne et qui couronne,
170 C'est le Dieu* qui punit, c'est le Dieu qui pardonne :
Pour les héros et nous il a des poids divers.
Parle-lui sans effroi : lui seul peut te comprendre.
L'esclave et le tyran ont tous un compte à rendre,
       L'un du sceptre, l'autre des fers.

175 Son cercueil est fermé : Dieu* l'a jugé. Silence!
Son crime et ses exploits pèsent dans la balance :

---

   1. *Marius*, rendu populaire par ses victoires, devint tout-puissant à Rome. Chassé par son rival Sulla, il reprit le pouvoir et fit massacrer ceux qui l'avaient proscrit (86 av. J.-C.).

────── ● QUESTIONS ──────

● Vers 151-180. Pourquoi le retour à l'apostrophe (vers 151)? De quelle façon alterneront jusqu'à la fin du poème les « dialogues » avec l'ombre de Bonaparte et les réflexions du poète? Quel effet naît de cette alternance? — Les vers 151-156 n'atténuent-ils pas la condamnation prononcée dans les strophes précédentes? — Le héros devant la mort : qu'a-t-il de commun avec les autres hommes? — Le retour à la foi (vers 163-168) : comment Lamartine utilise-t-il une hypothèse historique assez fragile, en tentant cependant de ne pas fausser la vérité? Dans quelle intention? — Le rôle de Dieu (vers 162), de sa justice (vers 171). Pourquoi le poète refuse-t-il finalement de prendre parti? Quelle solution souhaite-t-il (vers 175)? — La variante des vers 179-180 : commentez l'explication donnée par Lamartine à ce changement (voir note 1 de la page 90). Pourquoi cette intransigeance tardive?

Que des faibles mortels la main n'y touche plus!
Qui peut sonder, Seigneur, ta clémence infinie?
Et vous, fléaux de Dieu*, qui sait si le génie*
180   N'est pas une de vos vertus[1]?

V. — LE PAPILLON

Poème composé en mai 1823.

Naître avec le printemps, mourir avec les roses,
Sur l'aile du zéphyr nager dans un ciel pur;
Balancé sur le sein des fleurs à peine écloses,
S'enivrer de parfums, de lumière et d'azur;
5 Secouant, jeune encor, la poudre de ses ailes,
S'envoler comme un souffle aux voûtes éternelles :
Voilà du papillon le destin* enchanté.
Il ressemble au désir, qui jamais ne se pose,
Et, sans se satisfaire, effleurant toute chose,
10 Retourne enfin au ciel chercher la volupté.

---

1. Dans son Commentaire de 1849, Lamartine regrette ces deux vers comme « un sacrifice immoral à ce qu'on appelle la gloire. Le génie par lui-même n'est rien moins qu'une vertu; ce n'est qu'un don, une faculté, un instrument; il n'expie rien, il aggrave tout, le génie mal employé est un crime plus illustre ». Il corrige ainsi ces vers :

Et vous, peuples, sachez le vain prix du génie
Qui ne fonde pas des vertus.

--- **QUESTIONS** ---

■ Sur l'ensemble du poème « Bonaparte ». — La composition du poème : sur quel thème central se greffent les éléments épiques et même polémiques qui aboutissent à la méditation finale?

— A l'époque où paraît ce poème, quels sont les différents courants de l'opinion française au sujet de Napoléon? La prise de position de Lamartine : la « vérité » qu'il prétend défendre est-elle exempte de tout esprit partisan? Précisez la valeur que prend le titre du poème. Sa conclusion suffit-elle pour donner l'impression d'un jugement serein?

— L'homme de génie : quels aspects de sa personnalité et de son action séduisent le poète tout en faisant naître son inquiétude et sa crainte? Lamartine est-il déjà romantique sur ce point?

— Comparez à ce poème : 1° l'ode que Victor Hugo écrivit sur le même sujet en 1825, et qu'il intitula « les Deux Iles »; 2° la page de Chateaubriand dans les *Mémoires d'outre-tombe* (Troisième partie, première époque, livre VII).

■ Sur le poème « le Papillon », voir page suivante.

VIII. — LA SOLITUDE

Poème, inspiré en 1822, par le spectacle des Alpes et du lac Léman vus « du sommet du mont Jura » (Commentaire).

Heureux qui, s'écartant des sentiers d'ici-bas,
A l'ombre* du désert* allant cacher ses pas,
D'un monde dédaigné secouant la poussière,
Efface, encor vivant, ses traces sur la terre,
5 Et, dans la solitude* enfin enseveli,
Se nourrit d'espérance* et s'abreuve d'oubli !
Tel que ces esprits purs qui planent dans l'espace,
Tranquille spectateur de cette ombre* qui passe,
Des caprices du sort à jamais défendu,
10 Il suit de l'œil ce char dont il est descendu !...
Il voit les passions, sur une onde incertaine,
De leur souffle orageux enfler la voile humaine.
Mais ces vents inconstants ne troublent plus sa paix ;
Il se repose en Dieu*, qui ne change jamais :
15 Il aime à contempler ses plus hardis ouvrages,
Ces monts vainqueurs des vents, de la foudre et des âges,
Où, dans leur masse auguste et leur solidité,
Ce Dieu* grava sa force et son éternité.
A cette heure où, frappé d'un rayon de l'aurore,
20 Leur sommet enflammé que l'orient colore,
Comme un phare céleste allumé dans la nuit,

QUESTIONS

■ Sur le poème « Le Papillon ». — La composition de ce poème ; par quel procédé de composition le poète condense-t-il les images et parvient-il à une brièveté qui lui est peu habituelle ? — Que reste-t-il de classique dans les éléments descriptifs, dans le choix des images, dans la signification du symbole ? Quels aspects de l'inspiration et quels jeux de l'harmonie sont plus purement lamartiniens ?

● La solitude. — Vers 1-18. L'accent amer que prend l'éloge de la solitude (vers 1-7) est-il habituel à Lamartine ? Quel mot (vers 7) corrige la misanthropie des vers précédents et introduit une résonance chrétienne ? — Comment le poète considère-t-il la vie humaine (vers 6-14) ? Les vers 11-14 ne donnent-ils pas une signification nouvelle à une image traditionnelle ? — Expliquez le vers 10 : comment la réalité concrète se trouve-t-elle transposée ? — Est-ce la contemplation de la nature qui mène à l'adoration de Dieu, ou l'inverse (vers 15-18) ? Quelle transformation l'état d'âme du poète a-t-il subie depuis le début de la méditation ? — Le paysage (vers 16) et son imprécision voulue : citez d'autres poèmes où Lamartine montre sa prédilection pour cette idéalisation de décor.

Jaillit étincelant de l'ombre* qui s'enfuit,
Il s'élance, il franchit ces riantes collines
Que le mont jette au loin sur ses larges racines,
25 Et, porté par degrés jusqu'à ses sombres flancs,
Sous ses pins immortels il s'enfonce à pas lents.
Là, des torrents séchés le lit seul est sa route;
Tantôt les rocs minés sur lui pendent en voûte,
Et tantôt, sur leurs bords tout à coup suspendu,
30 Il recule étonné[1] : son regard éperdu
Jouit avec horreur[2] de cet effroi sublime,
Et sous ses pieds longtemps voit tournoyer l'abîme.
Il monte, et l'horizon grandit à chaque instant;
Il monte, et devant lui l'immensité s'étend
35 Comme sous le regard d'une nouvelle aurore;
Un monde à chaque pas pour ses yeux semble éclore,
Jusqu'au sommet suprême où son œil enchanté
S'empare de l'espace et plane en liberté*.
Ainsi, lorsque notre âme*, à sa source envolée,
40 Quitte enfin pour toujours la terrestre vallée,
Chaque coup de son aile, en l'élevant aux cieux,
Élargit l'horizon qui s'étend sous ses yeux;
Des mondes sous son vol le mystère s'abaisse;
En découvrant toujours, elle monte sans cesse,
45 Jusqu'aux saintes* hauteurs d'où l'œil du séraphin
Sur l'espace infini plonge un regard sans fin.

Salut, brillants sommets! champs de neige et de glace!
Vous qui d'aucun mortel n'avez gardé la trace,

---

1. *Étonné* : frappé comme d'un coup de foudre (sens classique); 2. *Horreur* : vertige et intense émotion, qui peut faire hérisser les cheveux (sens proche de l'étymologie).

● **QUESTIONS**

● Vers 19-46. Étudiez le rythme des vers 23-38 : comment la description est-elle liée au mouvement? Les effets de progression dans les mots qui décrivent l'élargissement de l'horizon et traduisent les sentiments successifs du promeneur jusqu'à la vision finale. — Le vocabulaire descriptif dans les vers 23-38 : diffère-t-il beaucoup de celui dont usait Rousseau dans *la Nouvelle Héloïse* (notamment dans la lettre XXIII de la première partie)? Quelle impression en résulte? — En quoi la comparaison amorcée au vers 39 prolonge-t-elle sur le plan spirituel la montée décrite aux vers 23-38? Comparez les vers 39-46 aux vers 35-44 du poème « Dieu » (page 72) : comment l' « ascension » rejoint-elle ici l' « élévation » de l'âme? Quelle est le but de cette montée (vers 43-44)?

Vous que le regard même aborde avec effroi,
50 Et qui n'avez souffert que les aigles et moi !
Œuvres du premier jour, augustes pyramides
Que Dieu* même affermit sur vos bases solides,
Confins de l'univers, qui depuis ce grand jour
N'avez jamais changé de forme et de contour !
55 Le nuage en grondant parcourt en vain vos cimes,
Le fleuve en vain grossi sillonne vos abîmes,
La foudre frappe en vain votre front endurci :
Votre front solennel, un moment obscurci,
Sur nous, comme la nuit, versant son ombre* obscure,
60 Et laissant pendre au loin sa noire chevelure,
Semble, toujours vainqueur du choc qui l'ébranla,
Au Dieu* qui l'a fondé dire encor : « Me voilà ! »
Et moi, me voici seul sur ces confins du monde !
Loin d'ici, sous mes pieds, la foudre vole et gronde ;
65 Les nuages battus par les ailes des vents,
Entre-choquant comme eux leurs tourbillons mouvants,
Tels qu'un autre Océan soulevé par l'orage,
Se déroulent sans fin dans des lits sans rivage,
Et, devant ces sommets abaissant leur orgueil,
70 Brisent incessamment sur cet immense écueil.
Mais, tandis qu'à ses pieds ce noir chaos bouillonne,
D'éternelles splendeurs le soleil le couronne :
Depuis l'heure où son char s'élance dans les airs
Jusqu'à l'heure où son disque incline vers les mers,
75 Cet astre, en décrivant son oblique carrière,
D'aucune ombre* jamais n'y souille sa lumière ;
Et déjà la nuit sombre a descendu des cieux,
Qu'à ces sommets encore il dit de longs adieux.

───────────── ● QUESTIONS ─────────────

● VERS 47-78. Citez d'autres poèmes de Lamartine où l'on retrouve le
même mouvement qu'au vers 47 : quelle attitude, familière au poète,
et quel élan de sensibilité ce mouvement traduit-il ? — Les caractères
qui donnent à la montagne une supériorité sur tout le reste de la nature
(vers 48-62) ; quel sens donner au vers 62 ? Le vers 50 (par opposition
au vers 48) n'annonce-t-il pas le développement des vers 63-79 ? — Relevez dans les vers 63-79 la reprise symétrique d'images qui ont paru aux
vers 46-79 : sous quelle perspective nouvelle ces images se révèlent-elles
maintenant ? En quoi ce jeu de répétitions est-il caractéristique du rythme
de la poésie lamartinienne ? — Quel est l'aspect de la montagne sur lequel
le poète insiste maintenant (vers 71-78) ?

Là, tandis que je nage en des torrents de joie,
80 Ainsi que mon regard mon âme* se déploie.
Et croit, en respirant cet air de liberté*,
Recouvrer sa splendeur et sa sérénité.
Oui, dans cet air du ciel, les soins[1] lourds de la vie,
Le mépris des mortels, leur haine ou leur envie,
85 N'accompagnent plus l'homme et ne surnagent pas;
Comme un vil plomb, d'eux-même[2] ils retombent en bas.
Ainsi, plus l'onde est pure, et moins l'homme y surnage;
A peine de ce monde il emporte une image :
Mais ton image, ô Dieu*, dans ces grands traits épars,
90 En s'élevant vers toi[3] grandit à nos regards!
Comme au prêtre habitant l'ombre* du sanctuaire,
Chaque pas te révèle à l'âme* solitaire*;
Le silence* et la nuit et l'ombre* des forêts
Lui murmurent tout bas de sublimes secrets;
95 Et l'esprit, abîmé dans ces rares spectacles,
Par la voix des déserts* écoute tes oracles.
J'ai vu de l'Océan les flots épouvantés,
Pareils aux fiers coursiers dans la plaine emportés,
Déroulant à ta voix leur humide crinière,
100 Franchir en bondissant leur bruyante carrière,
Puis, soudain refoulés sous ton frein tout-puissant,
Dans l'abîme étonné rentrer en mugissant.
J'ai vu le fleuve, épris des gazons du rivage,
Se glisser, flots à flots, de bocage en bocage,
105 Et dans son lit, voilé d'ombrage et de fraîcheur,

---

1. *Soins* : soucis (sens classique); 2. *D'eux-même* : orthographe nécessitée par la versification; cette liberté de l'accord est d'ailleurs conforme à l'usage classique, longtemps hésitant entre les acceptions de *même*, considéré comme adverbe invariable ou comme adjectif; 3. Quand nous nous élevons vers toi. Cette construction n'est plus correcte de nos jours.

● **QUESTIONS** ────────

● Vers 79-96. L'enthousiasme du poète : comment le rythme de ce passage traduit-il l'exaltation croissante? — La reprise du thème déjà esquissé aux vers 39-46 : s'agit-il encore d'une simple comparaison entre l'âme et le corps? — L'importance des vers 80-82 : quelles valeurs morales et spirituelles se trouvent ici reconquises? Comparez les vers 84 et 88 au vers 3 : quelle transformation le poète a-t-il éprouvée? — Quel sens le mot *homme* prend-il aux vers 85 et 87? — La nature révélatrice de Dieu (vers 89-96) : son rôle consiste-t-il uniquement à prouver l'existence de Dieu? Montrez qu'elle permet aussi à l'âme de participer directement à la connaissance mystique de la divinité.

Bercer en murmurant la barque du pêcheur.
J'ai vu le trait brisé de la foudre qui gronde,
Comme un serpent de feu, se dérouler sur l'onde;
Le zéphyr, embaumé des doux parfums du miel,
110 Balayer doucement l'azur voilé du ciel;
La colombe, essuyant son aile encore humide,
Sur les bords de son nid poser un pied timide,
Puis, d'un vol cadencé fendant le flot des airs,
S'abattre en soupirant sur la rive des mers.
115 J'ai vu ces monts voisins des cieux où tu reposes,
Cette neige où l'aurore aime à semer ses roses,
Ces trésors des hivers, d'où par mille détours,
Dans nos champs desséchés multipliant leur cours,
Cent rochers de cristal, que tu fonds à mesure,
120 Viennent désaltérer la mourante verdure;
Et ces ruisseaux pleuvant de ces rocs suspendus,
Et ces torrents grondant dans les granits fendus,
Et ces pics où le temps a perdu sa victoire...
Et toute la nature est un hymne à ta gloire*.

■ **QUESTIONS** ---------------

● VERS 97-124. Pourquoi le regard du poète peut-il maintenant redescendre vers le monde d'en bas? Comment ce finale équilibre-t-il l'ensemble du poème? La composition de cette énumération descriptive :
quelles images de la nature le poète choisit-il? Dans quel ordre se
succèdent-elles? Quel sentiment le rythme des vers 121-123 traduit-il?
Comment se prépare le vers qui couronne le poème?

■ SUR L'ENSEMBLE DU POÈME « LA SOLITUDE ». — La composition du
poème : montrez qu'il s'agit d'une composition symphonique; étudiez-en
les différents mouvements, qui s'enchaînent sur un nombre limité de
thèmes.
— Les thèmes : dans quelle mesure ce poème réunit-il plusieurs des
thèmes fondamentaux qui ont la prédilection de Lamartine? Citez
d'autres poèmes où ils apparaissent; pourquoi donnent-ils ici l'impression de s'accorder d'une façon particulièrement harmonieuse?
— Le spiritualisme de Lamartine : par quelle progression le poète
parvient-il à l'enthousiasme final? En quoi cette méditation est-elle plus
qu'aucune autre l'expression de l'optimisme philosophique de Lamartine?
— Dans quelle mesure ce poème permet-il par son inspiration, par
sa technique et par son style d'apprécier assez exactement ce qu'on
appelle le romantisme de Lamartine?

L'Océan, amoureux de ces rives tranquilles,
Calme, en baisant leurs pieds, ses orageux transports.
(« Ischia », vers 13-14.)

Naples et le Vésuve vus du Pausilippe.
Gravure de Samuel Mitan, d'après un dessin de E. F. Batty.

IX. — ISCHIA

Poème composé par Lamartine dans cette île du golfe de Naples en octobre 1820, quelques mois après son mariage.

Le soleil va porter le jour à d'autres mondes;
Dans l'horizon désert* Phébé¹ monte sans bruit,
Et jette, en pénétrant les ténèbres profondes,
Un voile transparent sur le front de la nuit.

5 Voyez du haut des monts ses clartés ondoyantes
Comme un fleuve de flamme inonder les coteaux,
Dormir dans les vallons, ou glisser sur les pentes,
Ou rejaillir au loin du sein brillant des eaux.

La douteuse² lueur, dans l'ombre* répandue,
10 Teint d'un jour azuré la pâle obscurité,
Et fait nager au loin dans la vague étendue
Les horizons baignés par sa molle clarté.

L'Océan, amoureux de ces rives tranquilles,
Calme, en baisant leurs pieds, ses orageux transports,
15 Et, pressant dans ses bras ces golfes et ces îles,
De son humide haleine en rafraîchit les bords.

Du flot qui tour à tour s'avance et se retire
L'œil aime à suivre au loin le flexible contour;
On dirait un amant qui presse en son délire
20 La vierge qui résiste et cède tour à tour.

---

1. *Phébé* : « la brillante », surnom de Diane, déesse de la Lune; 2. *Douteux* : incertain.

QUESTIONS

■ VERS 1-12. Le moment choisi par Lamartine : comparez à « l'Isolement » (vers 9-12, page 27) et à « la Prière » (vers 1-14, page 52). D'où vient la prédilection du poète pour ce moment? — Les expressions et les images qui créent une impression de fluidité en harmonie avec le paysage. Quelles autres impressions dominantes s'y associent?

● VERS 13-20. Pourquoi évoquer *l'Océan* (vers 13) à propos de ce paysage napolitain? — Comment la terre et l'eau participent-elles à l'harmonie créée par la terre à la lumière du clair de lune? — Montrez que les images et le vocabulaire des vers 13-18 préparent la dernière comparaison (vers 19-20) : cette sensualité, même discrète, est-elle fréquente chez Lamartine? Quelle indication donne-t-elle sur l'état d'âme du poète?

Doux comme le soupir de l'enfant qui sommeille,
Un son vague et plaintif se répand dans les airs :
Est-ce un écho du ciel qui charme notre oreille?
Est-ce un soupir d'amour* de la terre et des mers?

25 Il s'élève, il retombe, il renaît, il expire,
Comme un cœur* oppressé d'un poids de volupté;
Il semble qu'en ces nuits la nature respire,
Et se plaint comme nous de sa félicité.

Mortel, ouvre ton âme* à ces torrents de vie;
30 Reçois par tous les sens les charmes de la nuit :
A t'enivrer d'amour* son ombre* te convie;
Son astre dans le ciel se lève, et te conduit.

Vois-tu ce feu lointain trembler sur la colline?
Par la main de l'Amour* c'est un phare allumé;
35 Là, comme un lis penché, l'amante qui s'incline
Prête une oreille avide aux pas du bien-aimé.

La vierge, dans le songe où son âme* s'égare,
Soulève un œil d'azur qui réfléchit les cieux,
Et ses doigts au hasard errant sur sa guitare
40 Jettent aux vents du soir des sons mystérieux :

« Viens! l'amoureux silence* occupe au loin l'espace;
Viens du soir près de moi respirer la fraîcheur!
C'est l'heure; à peine au loin la voile qui s'efface
Blanchit en ramenant le paisible pêcheur.

―――――― **QUESTIONS** ――――――

● Vers 21-28. Le troisième élément du nocturne : en quoi correspond-il aux deux premiers? — Pourquoi l'incertitude des vers 23-24? En quoi chacune des deux suppositions répond-elle aux tableaux dépeints jusqu'ici? — Quelle réponse les vers 25-28 donnent-ils à la question? L'apparition progressive du thème central du poème. — Commentez le vers 28 et le contraste qu'il exprime.

● Vers 29-40. L'appel des vers 29-32 ne semble-t-il pas le couronnement de tout le début du poème? Quels termes accentuent la sensualité du poème? — Comment se fait la « reprise » du motif descriptif abandonné depuis le vers 28? — L'image de l'amoureuse (vers 34-40) : énumérez les symboles dont le poète l'entoure; comment s'idéalise cette image? — Expliquez la parenté qui relie les mots *trembler* (vers 33), *penché*, *s'incline* (vers 35).

45 « Depuis l'heure où ta barque a fui loin de la rive,
   J'ai suivi tout le jour ta voile sur les mers,
   Ainsi que de son nid la colombe craintive
   Suit l'aile du ramier qui blanchit dans les airs.

   « Tandis qu'elle¹ glissait sous l'ombre* du rivage,
50 J'ai reconnu ta voix dans la voix des échos;
   Et la brise du soir, en mourant sur la plage,
   Me rapportait tes chants prolongés sur les flots.

   « Quand la vague a grondé sur la côte écumante,
   A l'étoile des mers² j'ai murmuré ton nom;
55 J'ai rallumé sa lampe³, et de ta seule amante⁴
   L'amoureuse prière* a fait fuir l'aquilon.

   « Maintenant sous le ciel tout repose ou tout aime;
   La vague en ondulant vient dormir sur le bord,
   La fleur dort sur sa tige, et la nature même
60 Sous le dais de la nuit se recueille et s'endort.

   « Vois : la mousse a pour nous tapissé la vallée;
   Le pampre s'y recourbe en replis tortueux,
   Et l'haleine de l'onde, à l'oranger mêlée,
   De ses fleurs qu'elle effeuille embaume mes cheveux.

   1. *Elle* : la voile; 2. *L'étoile des mers* : « Maris Stella », un des titres donnés à la Vierge, invoquée comme protectrice des marins en péril; 3. La *lampe* placée devant la statuette de la Vierge; 4. De ton amante, à elle seule.

───── **QUESTIONS** ─────

● VERS 41-68. La composition de ce chant d'amour : comment, après le prélude (vers 41-44), s'établit l'équilibre entre les deux mouvements de cette élégie? — La symétrie entre les trois strophes qui comprennent les vers 45-56 : comment s'exprime, au fil des heures, la présence constante de l'amant? — Quels détails (vers 54-56) suggèrent discrètement l'image d'une jeune Napolitaine à la foi naïve? Mais cette crédulité n'est-elle pas commune à toutes les amoureuses? — Les verbes de mouvement dans les vers 45-56 : comment sont-ils liés au thème de ces strophes? Montrez qu'en revanche les verbes des vers 57-66 s'associent à des images de repos : dans quelle mesure ce changement traduit-il la différence entre les deux parties du chant d'amour? Quelle autre expression du sentiment amoureux se révèle ici? — Le rôle attribué à la nature dans les vers 57-68 : pourquoi tant d'images de fleurs et de fruits de l'Italie, alors que le poète dédaigne le plus souvent la « couleur locale »? Comment cette évocation suggère-t-elle l'intensité de la passion? — Le rappel descriptif des vers 65 et 67-68 : comment le chant se termine-t-il en un decrescendo cher à Lamartine?

65 « A la molle clarté de la voûte sereine
   Nous chanterons ensemble assis sous le jasmin,
   Jusqu'à l'heure où la lune, en glissant vers Misène,
   Se perd en pâlissant dans les feux du matin. »

   Elle chante; et sa voix par intervalle[1] expire,
70 Et, des accords du luth plus faiblement frappés,
   Les échos assoupis ne livrent au zéphire
   Que des soupirs mourants, de silence coupés.

   Celui qui, le cœur* plein de délire et de flamme,
   A cette heure d'amour*, sous cet astre enchanté,
75 Sentirait tout à coup le rêve de son âme*
   S'animer sous les traits d'une chaste beauté;

   Celui qui, sur la mousse, au pied du sycomore,
   Au murmure des eaux, sous un dais de saphirs,
   Assis à ses genoux, de l'une à l'autre aurore,
80 N'aurait pour lui parler que l'accent des soupirs;

   Celui qui, respirant son haleine adorée,
   Sentirait ses cheveux, soulevés par les vents,
   Caresser en passant sa paupière effleurée,
   Ou rouler sur son front leurs anneaux ondoyants;

85 Celui qui, suspendant les heures fugitives,
   Fixant avec l'amour* son âme* en ce beau lieu,
   Oublierait que le temps coule encor sur ces rives,
   Serait-il un mortel, ou serait-il un dieu?

---

1. Au lieu du pluriel *par intervalles*; licence poétique nécessitée par le rythme (élision du *e* de *intervalle*).

───── **QUESTIONS** ─────

● VERS 69-88. N'a-t-on pas, aux vers 69-72, l'impression d'un finale, comme on l'avait eu déjà aux vers 29-32? Quelle conclusion en tirer sur la composition d'ensemble du poème? — Le mouvement rhétorique des vers 73-88 : son insistance et sa progression; quel état d'âme le poète veut-il traduire ainsi? — L'importance du vers 72 pour lier le développement à l'ensemble du poème. — En quoi le bonheur et l'amour se révèlent-ils comme un miracle (vers 73-76)? Quelle réminiscence de J.-J. Rousseau transparaît? — Les joies de l'amour (vers 77-84) : quels reflets et quels échos des vers 59-64 reviennent ici? Ne prennent-ils pas encore un accent plus pur? — Le souhait suprême (vers 85-88) : à quelle condition le bonheur pourrait-il devenir un absolu?

Et nous, aux doux penchants de ces verts Élysées[1],
90 Sur ces bords où l'amour* eût caché son Éden,
Au murmure plaintif des vagues apaisées,
Aux rayons endormis de l'astre élyséen[2],

Sous ce ciel où la vie, où le bonheur abonde,
Sur ces rives que l'œil se plaît à parcourir,
95 Nous avons respiré cet air d'un autre monde,
Élise[3]!... Et cependant on dit qu'il faut mourir!

XI. — A EL***

Poème datant probablement de 1815, revu en 1823; l'inspiration
en est néo-classique.

Lorsque seul avec toi, pensive et recueillie,
Tes deux mains dans la mienne, assis à tes côtés,
J'abandonne mon âme* aux molles voluptés,

---

1. Les champs *Élysées* : séjour des bienheureux dans la mythologie antique;
2. La lune brille aux champs Élysées pour les ombres de ceux qui sont morts d'amour;
3. *Élise* : prénom de la femme de Lamartine.

─────── **QUESTIONS** ───────

● Vers 89-96. La présence du poète, apparaissant au vers 89, n'avait-elle
pas déjà été pressentie au cours du poème? Comment cette intervention
tardive donne-t-elle au poème sa conclusion? — Le mot *bonheur* (vers 93)
avait-il déjà été prononcé? Quelles images mythiques viennent s'associer
aux éléments du décor longuement décrit auparavant? Comment se
trouve justifié l'expression *un autre monde* (vers 95)? — Le dernier vers
remet-il tout en question? Pourquoi Lamartine se refuse-t-il à un bonheur
sans mélange?

■ Sur l'ensemble du poème « Ischia ». — Le mouvement du poème :
par quelle succession d'images glisse-t-on de la description du paysage
à l'exaltation du sentiment? Montrez qu'il s'agit d'une suite d'échos qui
semblent se répondre jusqu'à donner naissance à la vision des vers 69-88.
    — L'amour et le bonheur : comment Lamartine essaie-t-il de concilier
les élans des sens et l'idéal de l'âme?
    — On a pu opposer l'inspiration d' « Ischia » à celle du « Lac ». Quels
éléments fournissent cette comparaison? Ne pourrait-on prouver plutôt
que les deux poèmes se complètent et expriment deux aspects d'une
même sensibilité?
    — La couleur italienne : quels effets le poète tire-t-il du paysage?
Est-ce à proprement parler des éléments pittoresques? Comparez de ce
point de vue « Ischia » au « Golfe de Baïa » (page 66).

Et je laisse couler les heures que j'oublie;
5 Lorsqu'au fond des forêts je t'entraîne avec moi,
Lorsque tes doux soupirs charment seuls mon oreille,
Ou que, te répétant les serments de la veille,
Je te jure à mon tour de n'adorer que toi;
Lorsqu'enfin, plus heureux[1], ton front charmant repose
10 Sur mon genou tremblant qui lui sert de soutien,
Et que mes lents regards sont suspendus au tien
Comme l'abeille avide aux feuilles de la rose :
Souvent alors, souvent, dans le fond de mon cœur*,
Pénètre comme un trait une vague terreur;
15 Tu me vois tressaillir; je pâlis, je frissonne,
Et, troublé tout à coup dans le sein du bonheur,
Je sens couler des pleurs dont mon âme* s'étonne.
Tu me presses soudain dans tes bras caressants,
            Tu m'interroges, tu t'alarmes,
20 Et je vois de tes yeux s'échapper quelques larmes
Qui viennent se mêler aux pleurs que je répands.
« De quel ennui secret ton âme* est-elle atteinte?
Me dis-tu : cher amour*, épanche ta douleur;
J'adoucirai ta peine en écoutant ta plainte,
25 Et mon cœur* versera le baume dans ton cœur. »

Ne m'interroge plus, ô moitié de moi-même!
Enlacé dans tes bras, quand tu me dis : « Je t'aime »,
Quand mes yeux enivrés se soulèvent vers toi,
Nul mortel sous les cieux n'est plus heureux que moi.
30 Mais jusque dans le sein des heures fortunées
Je ne sais quelle voix que j'entends retentir
            Me poursuit, et vient m'avertir

---

1. *Heureux* se rapporte à « moi », implicitement contenu dans *mon genou* (vers 10); anacoluthe.

───────── **QUESTIONS** ─────────

● VERS 1-25. Analysez la composition symétrique de ce premier développement. — Les sentiments du bonheur et les images qui l'accompagnent (vers 1-12) : comparez ce passage aux vers 77-84 du poème « Ischia ». Quels effets de rhétorique traduisent l'exaltation du bonheur? Relevez les adjectifs qui donnent à ce passage sa tonalité purement lamartinienne. — Le changement de rythme à partir du vers 13 : les effets dramatiques et pathétiques des vers 15-21. — Le couplet de la femme aimée : quel effet résulte de cette « présence » dans le poème? Le rôle de l'amoureuse : peut-elle comprendre l'angoisse de son amant?

Que le bonheur* s'enfuit sur l'aile des années,
Et que de nos amours* le flambeau doit mourir.
35 D'un vol épouvanté, dans le sombre avenir
      Mon âme* avec effroi se plonge,
      Et je me dis : ce n'est qu'un songe
      Que le bonheur* qui doit finir !

XVIII. — STANCES

Peut-être composé en 1822, ce poème s'intitule dans le manus-crit : « Psaume 3ᵉ ».

Et j'ai dit dans mon cœur* : « Que faire de la vie ?
Irai-je encor, suivant ceux qui m'ont devancé,
Comme l'agneau qui passe où sa mère a passé,
Imiter des mortels l'immortelle folie ?

5 L'un cherche sur les mers les trésors de Memnon[1],
Et la vague engloutit ses vœux et son navire ;
Dans le sein de la gloire* où son génie* aspire,
L'autre meurt enivré par l'écho d'un vain nom[2].

Avec nos passions formant sa vaste trame,
10 Celui-là fonde un trône, et monte pour tomber ;
Dans des pièges plus doux aimant à succomber,
Celui-ci lit son sort dans les yeux d'une femme.

---

1. Lamartine semble désigner par là les trésors de l'Orient. Memnon, fils de l'Au-rore, fut tué par Achille devant Troie. Les traditions diffèrent sur sa patrie : Éthiopie, Égypte ou région de Suse ; 2. *Nom :* renommée, célébrité.

--- **QUESTIONS** ---

● Vers 26-38. Comparez cette peinture du bonheur (vers 26-29) avec celle du début. — La fragilité du bonheur : à quelles images classiques le poète a-t-il recours (vers 33, 34, 37) ? Le contraste entre le vers 33 et le vers 4. — Précisez le sens des vers 31-32 et 35-36 : d'où vient ici l'aver-tissement et quelle résonance prend-il ?

■ Sur l'ensemble du poème « A El*** ». — Quels détails conventionnels montrent que ce poème est une œuvre de jeunesse ?
— Mettez toutefois en relief les éléments qui révèlent déjà le talent poétique de Lamartine et sa personnalité.
— Justifiez la place de ce poème dans les *Nouvelles Méditations* ; ne semble-t-il pas un écho du dernier vers du poème « Ischia » ?

Le paresseux s'endort dans les bras de la faim;
Le laboureur conduit sa fertile charrue;
15 Le savant pense et lit; le guerrier frappe et tue;
Le mendiant s'assied sur le bord du chemin.

Où vont-ils cependant? Ils vont où va la feuille
Que chasse devant lui le souffle des hivers.
Ainsi vont se flétrir dans leurs travaux divers
20 Ces générations que le temps sème et cueille.

Ils luttaient contre lui, mais le temps a vaincu :
Comme un fleuve engloutit le sable de ses rives,
Je l'ai vu dévorer leurs ombres fugitives.
Ils sont nés, ils sont morts : Seigneur, ont-ils vécu?

25 Pour moi, je chanterai le Maître que j'adore,
Dans le bruit des cités, dans la paix des déserts*,
Couché sur le rivage, ou flottant sur les mers,
Au déclin du soleil, au réveil de l'aurore.

La terre m'a crié : « Qui donc est le Seigneur? »
30 Celui dont l'âme* immense est partout répandue,
Celui dont un seul pas mesure l'étendue,
Celui dont le soleil emprunte sa splendeur,

Celui qui du néant a tiré la matière,
Celui qui sur le vide a fondé l'univers,

————— QUESTIONS —————

● VERS 1-16. Quelle impression donne le *Et* initial (vers 1)? Rapprochez ce début du titre donné dans le manuscrit. — Déterminez la nature du problème humain que pose la première question (vers 1); en quels termes Lamartine caractérise-t-il la majorité des hommes et leur conduite (vers 3-4)? L'image du vers 3 s'accorde-t-elle bien avec l'antithèse du vers 4? — Indiquez les passions que l'auteur condamne dans les vers 5-12. — L'art de l'allusion : tout en usant du vocabulaire général du moraliste, le poète ne suggère-t-il pas des applications précises (Byron aux vers 7-8, Napoléon aux vers 9-10)? A quelles légendes mythologiques font penser les vers 11-12? — Par quel moyen le poète élargit-il insensiblement (vers 13-14) la perspective dans laquelle il envisage la condition humaine? Quel choix fait-il (vers 14-16)? Pourquoi se contente-t-il d'images aussi fugitives?

● VERS 17-24. Sur quelle métaphore se soutient le lieu commun développé dans les vers 17-20? — La comparaison des vers 22-23 rompt-elle l'unité de cette vision? — Pourquoi le poète se sépare-t-il de ses semblables (vers 23)?

35 Celui qui sans rivage a renfermé les mers[1],
   Celui qui d'un regard a lancé la lumière,

   Celui qui ne connaît ni jour ni lendemain,
   Celui qui de tout temps de soi-même s'enfante,
   Qui vit dans l'avenir comme à l'heure présente,
40 Et rappelle les temps échappés de sa main :

   C'est lui, c'est le Seigneur!... Que ma langue redise
   Les cent noms de sa gloire* aux enfants des mortels :
   Comme la harpe d'or pendue à ses autels,
   Je chanterai pour lui jusqu'à ce qu'il me brise...

XIX. — LA LIBERTÉ OU UNE NUIT A ROME

A Eli..., Duch. de Dev...

Composé en 1821, ce poème est dédié à Élisabeth, duchesse de
Devonshire (1759-1824), dont Lamartine fréquenta le salon à Rome.
Elle y recevait d'éminentes personnalités artistiques et religieuses.

---

1. Voir Genèse, I, 9 : Dieu dit : « Que les eaux répandues sous le ciel se réunissent
en un même point, et que le sol apparaisse. »

────── **QUESTIONS** ──────

● Vers 25-44. En quoi l'attitude du poète s'oppose-t-elle à celle des
autres hommes (vers 25-28)? Quelle formule biblique se trouve para-
phrasée dans ces vers 25-28? — Le rôle du poète entre les hommes et
Dieu (vers 29) : dans quels poèmes des *Premières Méditations* voyait-on
déjà ce rôle d'intercesseur? — Le rythme des vers 30-41 : est-ce simple
rhétorique? A quel chant liturgique songe-t-on ici? — Les attributs de
Dieu d'après les vers 30-40; en quoi l'idée de Dieu est-elle rassurante
pour un homme qu'angoisse la fuite du temps (vers 37-40)? — La dernière strophe (vers 41-44) reprend-elle exactement le thème des vers 25-30?

■ Sur l'ensemble des « Stances ». — Les deux éléments de cette méditation : ne pourrait-on y voir la juxtaposition des deux formes d'inspiration qui alternent chez Lamartine? Comment la ferveur du second
mouvement se relie-t-elle à l'inquiétude philosophique du premier? Les
deux titres successifs que Lamartine a donnés au poème ne traduisent-ils
pas cette double inspiration? — Le Dieu de Lamartine : en comparant
ce poème avec « l'Homme » (vers 149-187, pages 33-35), la « Prière »
(vers 41-66, pages 54-55), « Dieu » (vers 45-72, pages 73-75), définissez
l'image que le poète se fait de la nature divine. Cette image est-elle partout la même? Pourquoi donne-t-elle ici l'impression d'être parfaitement fidèle à l'esprit biblique?

Comme l'astre adouci de l'antique Élysée[1],
Sur les murs dentelés du sacré Colisée,
L'astre des nuits, perçant des nuages épars,
Laisse dormir en paix ses longs et doux regards.
5 Le rayon qui blanchit ses vastes flancs de pierre,
En glissant à travers les pans flottants du lierre,
Dessine dans l'enceinte un lumineux sentier :
On dirait le tombeau d'un peuple tout entier,
Où la mémoire, errant après des jours sans nombre,
10 Dans la nuit du passé viendrait chercher une ombre*.

Ici, de voûte en voûte élevé dans les cieux,
Le monument debout défie encor les yeux ;
Le regard égaré dans ce dédale oblique,
De degrés en degrés, de portique en portique,
15 Parcourt en serpentant ce lugubre désert*,
Fuit, monte, redescend, se retrouve et se perd.
Là, comme un front penché sous le poids des années,
La ruine, abaissant ses voûtes inclinées,
Tout à coup se déchire en immenses lambeaux,
20 Pend comme un noir rocher sur l'abîme des eaux ;
Ou, des vastes hauteurs de son faîte superbe
Descendant par degrés jusqu'au niveau de l'herbe,
Comme un coteau qui meurt sous les fleurs d'un vallon,
Vient mourir à nos pieds sur des lits de gazon.
25 Sur les flancs décharnés de ces sombres collines,
Des forêts dans les airs ont jeté leurs racines :
Là, le lierre jaloux de l'immortalité,
Triomphe en possédant ce que l'homme a quitté ;
Et, pareil à l'oubli, sur ces murs qu'il enlace,
30 Monte de siècle en siècle au sommet qu'il efface.
Le buis, l'if immobile, et l'arbre des tombeaux,
Dressent en frissonnant leurs funèbres rameaux ;
Et l'humble giroflée, aux lambris suspendue,
Attachant ses pieds d'or dans la pierre fendue,

---

1. Voir « Ischia », vers 92 et la note, page 101.

● QUESTIONS

● VERS 1-10. Citez d'autres poèmes qui débutent ainsi par un « nocturne » ;
quelles qualités Lamartine attribue-t-il toujours à la lumière lunaire ?
Le décor qu'elle éclaire ici : quels éléments essentiels en sont déjà esquis-
sés ? Dans quel vers apparaît l'idée dominante du poème ?

35 Et balançant dans l'air ses longs rameaux flétris,
Comme un doux souvenir fleurit sur des débris.
Aux sommets escarpés du fronton solitaire*,
L'aigle à la frise étroite a suspendu son aire :
Au bruit sourd de mes pas, qui troublent son repos,
40 Il jette un cri d'effroi, grossi par mille échos,
S'élance dans le ciel, en redescend, s'arrête,
Et d'un vol menaçant plane autour de ma tête.
Du creux des monuments, de l'ombre des arceaux,
Sortent en gémissant de sinistres oiseaux :
45 Ouvrant en vain dans l'ombre* une ardente prunelle,
L'aveugle amant des nuits bat les murs de son aile;
La colombe, inquiète à mes pas indiscrets,
Descend, vole et s'abat de cyprès en cyprès,
Et sur les bords brisés de quelque urne isolée
50 Se pose en soupirant, comme une âme* exilée*.

Les vents, en s'engouffrant sous ces vastes débris,
En tirent des soupirs, des hurlements, des cris :
On dirait qu'on entend le torrent des années
Rouler sous ces arceaux ses vagues déchaînées,
55 Renversant, emportant, minant de jours en jours
Tout ce que les mortels ont bâti sur son cours.
Les nuages, flottant dans un ciel clair et sombre,
En passant sur l'enceinte y font courir leur ombre*,
Et tantôt, nous cachant le rayon qui nous luit,
60 Couvrent le monument d'une profonde nuit,
Tantôt, se déchirant sous un souffle rapide,
Laissent sur le gazon tomber un jour livide,
Qui, semblable à l'éclair, montre à l'œil ébloui
Ce fantôme debout du siècle évanoui,

● QUESTIONS ●

● VERS 11-50. La composition de ce tableau : montrez qu'il est formé de fragments successifs qui s'équilibrent par leur longueur et leur mouvement. Comment s'enchaînent ces différents moments? — Le poète donne-t-il beaucoup d'importance aux termes descriptifs proprement dits dans les vers 11-24? Relevez la multiplicité des verbes de mouvement : quelles impressions en résultent? — La végétation des ruines (vers 25-36) : montrez qu'elle est décrite surtout pour mettre en évidence un symbole; comment les verbes de mouvement prolongent-ils les effets des vers 11-24 et préparent-ils l'entrée en scène des êtres animés? — La valeur symbolique des oiseaux cités dans les vers 38-50. — Pourquoi toute cette partie du poème est-elle une vision plutôt qu'une description?

65 Dessine en serpentant ses formes mutilées,
Les cintres verdoyants des arches écroulées,
Ses larges fondements sous nos pas entr'ouverts,
Ses frontons menaçants suspendus dans les airs,
Et l'éternelle croix qui, surmontant le faîte,
70 Incline comme un mât battu par la tempête.

Rome, te voilà donc! O mère des Césars,
J'aime à fouler aux pieds tes monuments épars;
J'aime à sentir le temps, plus fort que ta mémoire[1],
Effacer pas à pas les traces de ta gloire*!
75 L'homme serait-il donc de ses œuvres jaloux?
Nos monuments sont-ils plus immortels que nous?
Égaux devant le temps, non, ta ruine immense
Nous console du moins de notre décadence.
J'aime, j'aime à venir rêver sur ce tombeau,
80 A l'heure où de la nuit le lugubre flambeau,
Comme l'œil du passé, flottant sur des ruines,
D'un pâle demi-deuil revêt tes sept collines,
Et, d'un ciel toujours jeune éclaircissant l'azur,
Fait briller les torrents sur les flancs de Tibur[2].
85 Ma harpe, qu'en passant l'oiseau des nuits effleure,
Sur tes propres débris te rappelle et te pleure,
Et jette aux flots du Tibre un cri de liberté*,
Hélas! par l'écho même à peine répété.

« Liberté*! nom sacré profané par cet âge,
90 J'ai toujours dans mon cœur* adoré ton image,

---

1. *Mémoire* : souvenir; **2.** *Tibur* : ville voisine de Rome; lieu de villégiature très apprécié des riches Romains; de nombreuses cascades en faisaient l'agrément. C'est aujourd'hui la ville de Tivoli.

━━━ **QUESTIONS** ━━━━━━━━━━━━━━

● VERS 51-70. Les voix de la nature (vers 51-56) : est-ce l'effet fantastique qui domine? Comment rejoint-on le symbole? — Quel sens symbolique l'alternance de la lumière et de l'ombre prend-elle à son tour (vers 57-67)? — La dernière image (vers 69-70) : en quoi fait-elle contraste avec les autres éléments du tableau? En quoi s'accorde-t-elle avec eux?
● VERS 71-88. La méditation sur les ruines (vers 71-83) : quelle variation nouvelle Lamartine apporte-t-il sur ce thème? Comparez ce passage aux vers 61-74 du poème « la Foi » (page 62). — Rapprochez les vers 79-84 des vers 1-10 : les mêmes images ont-elles la même tonalité? D'où vient ici l'impression qu'une certaine joie se mêle à la tristesse? — Par quel lien l'idée de la liberté vient-elle se glisser dans la rêverie du poète (vers 87-88)?

Telle qu'aux jours d'Émile[1] et de Léonidas[2]
T'adorèrent jadis le Tibre et l'Eurotas[3],
Quand, tes fils se levant contre la tyrannie,
Tu teignais leurs drapeaux du sang de Virginie[4]
95 Ou qu'à tes saintes* lois glorieux* d'obéir,
Tes trois cents immortels s'embrassaient pour mourir ;
Telle enfin que, d'Uri[5] prenant ton vol sublime,
Comme un rapide éclair qui court de cime en cime,
Des rives du Léman aux rochers d'Appenzell[6],
100 Volant avec la mort* sur la flèche de Tell[7],
Tu rassembles tes fils errants sur les montagnes,
Et, semblable au torrent qui fond sur leurs campagnes,
Tu purges à jamais d'un peuple d'oppresseurs
Ces champs où tu fondas ton règne sur les mœurs !

105 « Alors... Mais aujourd'hui pardonne à mon silence !
Quand ton nom, profané par l'infâme licence,
Du Tage à l'Éridan[8] épouvantant les rois[9],

---

1. *Émile* : le consul Paul Émile, mort à Cannes (Apulie) en luttant contre l'envahisseur carthaginois (216 av. J.-C.) ; 2. *Léonidas*, roi de Sparte, mort avec ses trois cents soldats aux Thermopyles en essayant d'arrêter l'invasion perse (480 av. J.-C.) ; voir vers 96 ; 3. *L'Eurotas*, fleuve de Sparte ; 4. *Virginie* : jeune plébéienne qui résista à l'un des décemvirs et dont la mort violente (449 av. J.-C.) fut le signal d'une révolution (chute des décemvirs) ; 5. *Uri* : un des trois cantons primitifs de la Confédération helvétique ; 6. *Appenzell* : un des vingt-deux cantons, au nord-est de la Suisse ; 7. *Tell* : héros légendaire de l'indépendance helvétique (commencement du XIVᵉ siècle). Originaire du canton d'Uri, il provoqua le soulèvement des Suisses contre la maison d'Autriche ; 8. *Éridan* : nom donné au Pô par les anciens Grecs et repris dans la tradition poétique latine, notamment par Virgile ; 9. Allusion aux troubles politiques provoqués en Espagne et dans les royaumes de Naples et de Piémont par les libéraux au cours de l'année 1820. L'Autriche intervint militairement en Italie et brisa la résistance libérale. En Espagne, c'est l'armée française qui, après le congrès de Vérone (décembre 1822), où Chateaubriand joua un rôle décisif, intervint (1823) pour rétablir la monarchie des Bourbons dans ses droits absolus. La répression contre les libéraux fut féroce aussi bien en Espagne qu'en Italie.

━━━━━━ QUESTIONS ━━━━━━

● VERS 89-104. En quoi le vers 89 donne-t-il le ton et l'idée essentielle du développement qui commence ici ? — Appréciez le choix des exemples (vers 89-104) qui illustrent aux yeux du poète l'héroïsme de la vraie liberté. L'importance accordée au souvenir de Guillaume Tell (vers 97-104) s'explique-t-elle par des motifs historiques ou par des raisons poétiques ? Pourquoi n'y a-t-il nulle allusion à la Révolution française ? — Comment ces images du passé s'accordent-elles avec la nostalgie qui a pris naissance dans les ruines du Colisée ?

Fait crouler dans le sang les trônes et les lois;
Détournant leurs regards de ce culte adultère,
110 Tes purs adorateurs, étrangers sur la terre,
Voyant dans ces excès ton saint* nom s'abolir,
Ne le prononcent plus... de peur de l'avilir.
Il fallait t'invoquer, quand un tyran superbe
Sous ses pieds teints de sang nous foulait comme l'herbe,
115 En pressant sur son cœur* le poignard de Caton[1].
Alors il était beau de confesser ton nom :
La palme des martyrs couronnait tes victimes,
Et jusqu'à leurs soupirs, tout leur était des crimes.
L'univers cependant, prosterné devant lui,
120 Adorait ou tremblait!... L'univers aujourd'hui
Au bruit des fers brisés en sursaut se réveille.
Mais qu'entends-je? et quels cris ont frappé mon oreille?
Esclaves et tyrans, opprimés, oppresseurs,
Quand tes droits ont vaincu, s'offrent pour tes vengeurs :
125 Insultant sans péril la tyrannie absente,
Ils poursuivent partout son ombre renaissante,
Et, de la vérité couvrant la faible voix,
Quand le peuple est tyran, ils insultent aux rois.
Tu règnes cependant sur un siècle qui t'aime,
130 Liberté*! Tu n'as rien à craindre que toi-même.

1. *Caton* : voir « le Golfe de Baïa », vers 55 et la note, page 68.

━━━━━━━━━━ **QUESTIONS** ━━━━━━━━━━

● Vers 105-132. Les allusions d'actualité : en précisant les indications
données par la note 9 de la page 109, rappelez quelle était la situation en
Europe et en France au moment où paraissaient les *Nouvelles Méditations*. Quelle position Lamartine prend-il? — Comment le poète évite-t-il
de paraître s'engager dans les polémiques partisanes? Les vers 106-109
ne révèlent-ils pas cependant une conviction passionnée et une prise de
position très nette? — L'argumentation des vers 113-128 : quel est le
tyran superbe du vers 113? Si on se rappelle qu'en 1823 les libéraux français commençaient à célébrer Napoléon, issu de la Révolution, pour
faire pièce aux Bourbons, qui restauraient l'Ancien Régime, quelle résonance pouvaient avoir ces vers? — Le reproche formulé aux vers 119-
120 n'est-il pas déjà celui que Victor Hugo reprendra souvent dans *les
Châtiments* contre la lâcheté des hommes en face de la tyrannie? Cette
similitude ne prouve-t-elle pas la manière dont Lamartine commence
à concevoir dès cette époque la « fonction du poète » dans la vie politique
du pays? — Comment le poète maintient-il (vers 109-112 et 129-131) un
idéal fondé sur des valeurs absolues auxquelles les contingences politiques
ne sauraient porter atteinte? — Le dernier trait (vers 132) est-il du poète
ou du polémiste?

> Sur la pente rapide où roule en paix ton char,
> Je vois mille Brutus[1] ... mais où donc est César? »

XXI. — LE CRUCIFIX

En décembre 1817, Lamartine avait appris la mort de Julie Charles. L'abbé de Kéravenant, qui avait assisté la jeune femme dans son agonie, remit de sa part son crucifix à un ami de Lamartine, qui l'apporta à ce dernier. Esquissé en 1818, ce poème aurait été achevé au printemps de 1823.

> Toi que j'ai recueilli sur sa bouche expirante
> Avec son dernier souffle et son dernier adieu,
> Symbole deux fois saint*, don d'une main mourante,
>   Image de mon Dieu*;
>
> 5 Que de pleurs ont coulé sur tes pieds que j'adore,
> Depuis l'heure sacrée où, du sein d'un martyr[2],
> Dans mes tremblantes mains tu passas, tiède encore
>   De son dernier soupir!

---

1. *Brutus :* voir « le Golfe de Baïa », vers 55 et la note, page 68; 2. L'abbé de Kéravenant avait été emprisonné sous la Terreur.

——— **QUESTIONS** ———

■ Sur l'ensemble du poème « LA LIBERTÉ ». — La composition du poème : comment s'enchaînent les deux fragments qui semblent cependant d'inspiration fort différente? Citez d'autres poèmes où l'on trouve une juxtaposition du même genre. Comment la présence et la sensibilité du poète donnent-elles l'unité à l'ensemble?

— Dénombrez les grands thèmes qui s'associent dans ce poème (nocturne, méditation sur les ruines, etc.); citez d'autres poèmes où ils apparaissent déjà sous une autre forme. Quels sont ceux de ces thèmes qui semblent plus particulièrement chers à la pensée et à l'imagination du poète?

— La poésie politique de Lamartine : en rapprochant ce poème de « Bonaparte » (page 84), précisez la position politique de Lamartine en 1823. Sait-il manier la satire contre ceux qui ne sont pas de son opinion? Comment cherche-t-il cependant à surmonter tout fanatisme de parti? Peut-on découvrir déjà en lui les idées qui expliqueront son évolution politique après 1830?

● Le Crucifix. — VERS 1-8. Sur quel ton débute le poème? Relevez dans ce prélude l'apparition des grands thèmes qui vont être développés ensuite : relevez les mots caractéristiques de chacun d'eux. — L'effet produit par les périphrases et par les métonymies pour désigner les objets et les êtres.

Les saints* flambeaux jetaient une dernière flamme;
10 Le prêtre murmurait ces doux chants de la mort*,
Pareils aux chants plaintifs que murmure une femme
      A l'enfant qui s'endort.

De son pieux espoir* son front gardait la trace,
Et sur ses traits, frappés d'une auguste beauté,
15 La douleur fugitive avait empreint sa grâce,
      La mort* sa majesté.

Le vent qui caressait sa tête échevelée
Me montrait tour à tour ou me voilait ses traits,
Comme l'on voit flotter sur un blanc mausolée
20   L'ombre* des noirs cyprès.

Un de ses bras pendait de la funèbre couche;
L'autre, languissamment replié sur son cœur*,
Semblait chercher encore et presser sur sa bouche
      L'image du Sauveur.

25 Ses lèvres s'entr'ouvraient pour l'embrasser encore,
Mais son âme* avait fui dans ce divin* baiser,
Comme un léger parfum que la flamme dévore
      Avant de l'embraser.

Maintenant tout dormait sur sa bouche glacée,
30 Le souffle se taisait dans son sein endormi,

─────── **QUESTIONS** ───────

● Vers 9-40. Dans les vers 9-28, quels détails descriptifs animent cette scène et semblent donner une apparence de mouvement? Comment se mêlent, dans les attitudes et sur le visage de la mourante, les images de la vie et la présence de la mort? La valeur symbolique que prennent les comparaisons des vers 11-12 et 19-20. — La beauté dans la mort : par quelles images le poète suggère-t-il que la beauté terrestre est sublimée par la mort? Amour profane et amour mystique d'après les vers 23-28. — Ces derniers moments donnent-ils l'impression d'un combat entre la vie et la mort? — Le contraste des vers 29-32 avec ce qui précède : quel aspect de la mort se révèle dès après le dernier soupir? Les différents sentiments qui se partagent l'âme du poète (vers 33-37); quel est celui qui domine? La valeur expressive des coupes dans les vers 33 et 37. — Le crucifix (vers 39-40) est-il seulement un symbole, comme il avait été dit au vers 4? Que représente-t-il par rapport au passé et à l'avenir? — Lamartine n'a pas en réalité assisté à la mort de Julie Charles; mais n'est-ce pas la mort d'Elvire qu'il dépeint ici?

Et sur l'œil sans regard la paupière affaissée
      Retombait à demi.

Et moi, debout, saisi d'une terreur secrète,
Je n'osais m'approcher de ce reste adoré,
35 Comme si du trépas la majesté muette
      L'eût déjà consacré.

Je n'osais!... Mais le prêtre entendit mon silence*,
Et, de ses doigts glacés prenant le crucifix :
« Voilà le souvenir et voilà l'espérance* :
40   Emportez-les, mon fils! »

Oui, tu me resteras, ô funèbre héritage!
Sept fois, depuis ce jour, l'arbre que j'ai planté
Sur sa tombe sans nom a changé de feuillage :
      Tu ne m'as pas quitté.

45 Placé près de ce cœur*, hélas! où tout s'efface,
Tu l'as contre le temps défendu de l'oubli,
Et mes yeux goutte à goutte ont imprimé leur trace
      Sur l'ivoire amolli.

O dernier confident de l'âme* qui s'envole,
50 Viens, reste sur mon cœur*! parle encore, et dis-moi
Ce qu'elle te disait quand sa faible parole
      N'arrivait plus qu'à toi;

A cette heure douteuse[1] où l'âme* recueillie,
Se cachant sous le voile épaissi sur nos yeux,
55 Hors de nos sens glacés pas à pas se replie,
      Sourde aux derniers adieux;

Alors qu'entre la vie et la mort* incertaine,
Comme un fruit par son poids détaché du rameau,
Notre âme* est suspendue et tremble à chaque haleine
60   Sur la nuit du tombeau;

Quand des chants, des sanglots la confuse harmonie
N'éveille déjà plus notre esprit endormi,

_____

1. *Douteux :* où tout est incertain.

Divin consolateur, dont nous baisons l'image. (« Le Crucifix », vers 67.)

Christ en ivoire, du XIIIe siècle. Abbaye de Herlufsholm (Danemark).

Aux lèvres du mourant collé dans l'agonie,
        Comme un dernier ami :

65 Pour éclaircir l'horreur de cet étroit passage,
Pour relever vers Dieu* son regard abattu,
Divin* consolateur, dont nous baisons l'image,
        Réponds, que lui dis-tu?

Tu sais, tu sais mourir! et tes larmes divines*,
70 Dans cette nuit terrible où tu prias en vain,
De l'olivier sacré baignèrent les racines
        Du soir jusqu'au matin.

De la croix, où ton œil sonda ce grand mystère,
Tu vis ta mère en pleurs et la nature en deuil;
75 Tu laissas comme nous tes amis sur la terre,
        Et ton corps au cercueil!

Au nom de cette mort*, que ma faiblesse obtienne
De rendre sur ton sein ce douloureux soupir :
Quand mon heure viendra, souviens-toi de la tienne,
80   O toi qui sais mourir!

Je chercherai la place où sa bouche expirante
Exhala sur tes pieds l'irrévocable adieu,
Et son âme* viendra guider mon âme* errante
        Au sein du même Dieu*.

85 Ah! puisse, puisse alors sur ma funèbre couche,
Triste et calme à la fois, comme un ange éploré,
Une figure en deuil recueillir sur ma bouche
        L'héritage sacré!

——————— QUESTIONS ———————

● Vers 41-68. La reprise du mouvement initial (vers 41-48) : comment les thèmes des vers 1-4 sont-ils repris? Quelles précisions s'y ajoutent? Quel secret reste entier (vers 43)? — Le crucifix n'est-il qu'un objet destiné à maintenir le souvenir (vers 45-46 et 51-52)? Comment permet-il au poète de s'identifier avec la conscience de celle qui est morte? — La méditation sur la mort (vers 53-63) : sous quelle perspective reparaissent les derniers moments qui avaient été décrits aux vers 9-28? Pourquoi l'image de l'*agonie* (vers 63) est-elle maintenant dépouillée de toute vision profane? — La transition des vers 65-68 : comment la persistance de la même image permet-elle le changement de ton?

Soutiens ses derniers pas, charme sa dernière heure;
90 Et, gage consacré d'espérance* et d'amour*,
De celui qui s'éloigne à celui qui demeure
Passe ainsi tour à tour,

Jusqu'au jour où, des morts* perçant la voûte sombre,
Une voix dans le ciel, les appelant sept fois,
95 Ensemble éveillera ceux qui dorment à l'ombre*
De l'éternelle croix!

XXIV. — CHANT D'AMOUR

Écrit à Ischia en 1820, ce poème fut revu peut-être en 1822 (voir
« Ischia », page 97).

[VERS 1-48 : Le poète voudrait un langage divin pour exprimer ce
qu'il éprouve à la vue de sa bien-aimée.]

Laisse-moi respirer sur ces lèvres vermeilles
50 Ce souffle parfumé... Qu'ai-je fait? tu t'éveilles.
L'azur voilé des cieux
Vient chercher doucement ta timide paupière;

─────────── **QUESTIONS** ───────────

● VERS 69-96. La réponse à la question du vers 68 : pourquoi le poète
ne retient-il que l'aspect purement humain de l'agonie et de la passion de
Jésus? Précisez l'importance des expressions *en vain* (vers 70), *comme
nous* (vers 75). Quel réconfort le Christ apporte-t-il au mourant? —
Comment se développe, à partir du vers 77, le thème de l'espérance
annoncée au vers 39? A travers quelle image toujours répétée (vers 77,
81-82, 87-88) se développe la prière du poète? Que représente maintenant
cet *héritage* (vers 88 à rapprocher du vers 41)? — L'ampleur du finale
(vers 89-96) : par quelles étapes arrive-t-on à la vision de la résurrection
des morts? L'importance du mot *ensemble* (vers 95) : comment le
triomphe de l'amour par-delà la mort rejoint-il le triomphe de la foi?

■ SUR L'ENSEMBLE DU POÈME « LE CRUCIFIX ». — Le thème poétique :
l'inspiration de Lamartine s'attache-t-elle habituellement à un objet?
Mais s'agit-il vraiment ici d'un objet?

— La composition du poème : en quoi ce poème reste-t-il, comme tant
d'autres pièces des *Méditations* parmi les plus belles, une élévation où
le poète tente d'atteindre au-delà des souffrances humaines l'image d'un
absolu? Par quelles étapes parvient-on de l'image de la mort à l'image
consolatrice de la résurrection finale?

— Le christianisme de Lamartine : comment la foi lui permet-elle
de surmonter le tragique conflit de l'amour et de la mort? Ce poème
n'est-il pas une nouvelle preuve de l'optimisme de Lamartine?

Mais toi... ton doux regard, en voyant la lumière,
      N'a cherché que mes yeux.

55 Ah! que nos longs regards se suivent, se prolongent,
Comme deux purs rayons l'un dans l'autre se plongent,
      Et portent tour à tour
Dans le cœur* l'un de l'autre une tremblante flamme,
Ce jour intérieur que donne seul à l'âme*
60   Le regard de l'amour*!

Jusqu'à ce qu'une larme aux bords de ta paupière,
De son nuage errant te cachant la lumière,
      Vienne baigner tes yeux,
Comme on voit, au réveil d'une charmante aurore,
65 Les larmes du matin, qu'elle attire et colore,
      L'ombrager dans les cieux.

      Parle-moi, que ta voix me touche!
      Chaque parole sur ta bouche
      Est un écho mélodieux.
70   Quand ta voix meurt dans mon oreille,
      Mon âme* résonne et s'éveille,
      Comme un temple à la voix des dieux.

      Un souffle, un mot, puis un silence*,
      C'est assez : mon âme* devance
75   Le sens interrompu des mots,
      Et comprend ta voix fugitive,
      Comme le gazon de la rive
      Comprend le murmure des flots.

      Un son qui sur ta bouche expire,
80   Une plainte, un demi-sourire,

──────── **QUESTIONS** ────────

● Vers 49-66. A quoi tient la grâce du début (vers 49)? Ne peut-on rapprocher ce passage de certaines pièces de Ronsard (*Bocage* de 1554) et
de Du Bellay *(Jeux rustiques)*, imitées des alexandrins et de Catulle?
Quelles autres images de ces trois premières strophes ont une résonance
comparable? — L'inspiration purement lamartinienne : comment la
retrouve-t-on dans les verbes de mouvement, dans la qualité de la lumière,
dans les termes qui expriment la délicate nuance du sentiment?

Mon cœur* entend[1] tout sans effort :
Tel, en passant par une lyre,
Le souffle même du zéphyre
Devient un ravissant accord.

85 Pourquoi sous tes cheveux me cacher ton visage?
Laisse mes doigts jaloux écarter ce nuage :
Rougis-tu d'être belle, ô charme de mes yeux?
L'aurore, ainsi que toi, de ses roses s'ombrage.
Pudeur, honte céleste, instinct mystérieux,
90 Ce qui brille le plus se voile davantage;
Comme si la beauté, cette divine* image,[2]
N'était faite que pour les cieux!

[VERS 93-174 : Le poète chante les beautés de la jeune femme, puis évoque un cadre digne de leur amour.]

175 Laisse-moi parsemer de roses
La tendre mousse où tu t'assieds,
Et près du lit où tu reposes
Laisse-moi m'asseoir à tes pieds.
Heureux le gazon que tu foules,
180 Et le bouton dont tu déroules
Sous tes doigts les fraîches couleurs,
Heureuses ces coupes vermeilles
Que pressent tes lèvres, pareilles
A l'abeille, amante des fleurs!

---

1. *Entendre*. Ici, il semble que Lamartine joue sur les deux sens du mot : « comprendre », et, en même temps, « percevoir par l'ouïe »; 2. Suivant Platon, la beauté terrestre n'est qu'un reflet de la beauté divine, d'où l'émotion quasi religieuse qu'elle fait naître.

——— QUESTIONS ———

● VERS 67-84. Montrez que ces strophes constituent une sorte de transposition des strophes sur le charme du regard : le parallélisme des impressions et des sentiments. — L'art des sonorités et des nuances dans ce passage. — L'emploi de la strophe octosyllabique : quel rythme donnet-elle à ce passage, par comparaison avec celui des vers 49-66?

● VERS 85-92. Où réside la parenté entre le thème développé ici et les deux thèmes précédents? — Beauté et lumière; de quelle façon Lamartine s'oppose-t-il ici à la tradition esthétique de classicisme? — Commentez le vers 89 : quels mots y reflètent les idées de Chateaubriand sur le sentiment de l'amour dans une civilisation nourrie de christianisme?

185 Si l'onde, des lis qu'elle cueille,
 Roule les calices flétris;
 Des tiges que sa bouche effeuille
 Si le vent m'apporte un débris;
 Si sa boucle qui se dénoue
190 Vient, en ondulant sur ma joue,
 De ma lèvre effleurer le bord;
 Si son souffle léger résonne,
 Je sens sur mon front qui frissonne
 Passer les ailes de la mort*.

195 Souviens-toi de l'heure bénie
 Où les dieux, d'une tendre main,
 Te répandirent sur ma vie
 Comme l'ombre* sur le chemin.
 Depuis cette heure fortunée,
200 Ma vie à ta vie enchaînée,
 Qui s'écoule comme un seul jour,
 Est une coupe toujours pleine,
 Où mes lèvres à longue haleine
 Puisent l'innocence et l'amour*.

205 Un jour le temps jaloux, d'une haleine glacée,
 Fanera tes couleurs comme une fleur passée
   Sur ces lits de gazon;
 Et sa main flétrira sur tes charmantes lèvres
 Ces rapides baisers, hélas! dont tu me sèvres
210   Dans leur fraîche saison.

 Mais quand tes yeux, voilés d'un nuage de larmes,
 De ces jours écoulés qui t'ont ravi tes charmes
   Pleureront la rigueur;
 Quand dans ton souvenir, dans l'onde du rivage,

● QUESTIONS

● Vers 175-204. Comparez ce passage aux vers 61-68 du poème « Ischia » : pourquoi certaines images de l'amour et du bonheur semblent-elles liées à ce paysage? — Les images des vers 175-184 : leur couleur « païenne ». Quels détails font penser aux poètes alexandrins et à leurs imitateurs de la Renaissance? — La structure des vers 185-194 : comment leur mouvement contraste-t-il avec l'équilibre de la strophe précédente? Par quels signes la nature révèle-t-elle la fragilité du bonheur? — Les métaphores classiques des vers 195-196 et 200 : comment Lamartine renouvelle-t-il l'inspiration de l'épithalame?

215 Tu chercheras en vain ta ravissante image,
        Regarde dans mon cœur*.

   Là, ta beauté fleurit pour des siècles sans nombre;
   Là, ton doux souvenir veille à jamais à l'ombre*
        De ma fidélité,
220 Comme une lampe d'or dont une vierge sainte*
   Protège avec la main, en traversant l'enceinte,
        La tremblante clarté.

   Et quand la mort* viendra, d'un autre amour* suivie,
   Éteindre en souriant de notre double vie
225   L'un et l'autre flambeau,
   Qu'elle étende ma couche à côté de la tienne,
   Et que ta main fidèle embrasse encor la mienne
        Dans le lit du tombeau!

   Ou plutôt, puissions-nous passer sur cette terre,
230 Comme on voit en automne un couple solitaire*
        De cygnes amoureux
   Partir, en s'embrassant, du nid qui les rassemble,
   Et vers les doux climats qu'ils vont chercher ensemble
        S'envoler deux à deux!

——————— **QUESTIONS** ———————————

● Vers 205-234. Pourquoi ce retour à la strophe déjà employée aux vers 49-66? — L'image de la vieillesse (vers 205-216) : dans quelle tradition poétique Lamartine se replace-t-il ici? Les vers 211-216 corrigent-ils ce qui peut paraître cruel dans les vers 205-210? Pourquoi le poète imagine-t-il que la femme aimée sera tout aussi consciente que lui de la fuite du temps? — Le reproche esquissé aux vers 209-210 : quel thème, cher à Ronsard, ébauche-t-il discrètement? — Le mouvement des vers 216-234 : montrez qu'on y découvre, comme dans tant d'autres poèmes, la montée vers un avenir radieux. Les trois images qui marquent la victoire du bonheur sur le temps qui passe. Quelle valeur symbolique donner à l' « envolée » finale?

■ Sur les extraits du poème « Chant d'amour ». — Les différentes nuances du sentiment de l'amour : tendresse, désir, fidélité, respect. Les différents registres dont use le poète pour exprimer son bonheur.
   — Relevez les allusions qui font de ce chant d'amour un chant d'hyménée. Le poème vous donne-t-il quelques indications sur le caractère et la personnalité de la jeune femme (Élise, l'épouse du poète déjà citée dans « Ischia »)? Ou ne faut-il voir dans cette silhouette féminine que l'incarnation idéalisée de l'amour conjugal?
   — Pourquoi certaines images de ce poème font-elles penser à Ronsard et à la poésie humaniste plus encore qu'à Chénier? Quels mouvements restent cependant purement lamartiniens?

XXVI. — ADIEUX À LA POÉSIE

« J'étais — dit Lamartine dans le Commentaire — et je suis resté toute ma vie amateur de poésie plus que poète de métier. Je ne comptais plus rien écrire en vers, ou du moins plus rien imprimer. »

Poème terminé en 1823.

> Il est une heure de silence*
> Où la solitude* est sans voix,
> Où tout dort, même l'espérance*;
> Où nul zéphyr ne se balance
> 5   Sous l'ombre* immobile des bois.

> Il est un âge où de la lyre
> L'âme* aussi semble s'endormir,
> Où du poétique délire[1]
> Le souffle harmonieux expire
> 10   Dans le sein qu'il faisait frémir.

> L'oiseau qui charme le bocage,
> Hélas! ne chante pas toujours :
> A midi caché sous l'ombrage,
> Il n'enchante de son ramage
> 15   Que l'aube et le déclin des jours.

> Adieu donc, adieu, voici l'heure,
> Lyre aux soupirs mélodieux!
> En vain à la main qui t'effleure

---

1. Suivant Platon (dans *Phèdre*), une des quatre formes du « délire divin » ou de l'extase. Le poète est transporté hors de lui et « possédé par un dieu » (voir aussi Platon, *Ion*).

● QUESTIONS

● VERS 1-25. Le mouvement et la composition des quatres premières strophes : comment s'équilibrent-elles deux par deux dans une progression qui aboutit au couplet de l'adieu? — L'univers poétique évoqué au vers 1-5 : pourquoi suffit-il de peu de chose pour que les sources d'inspiration se tarissent? Comment la comparaison avec l'oiseau (vers 11-15) confirme-t-elle la fragilité et la délicatesse de l'inspiration? — Le poète et sa lyre (vers 6-10 et 16-25) : celle-ci est-elle seulement l'instrument de la poésie? en est-elle le symbole? Quels rapports s'établissent entre l'*âme* de la lyre (vers 7) et l'*âme* du poète (vers 24)? Expliquez les vers 18-19 : le son exprimé par la *fibre* de la lyre suffit-il à exprimer son âme?

Ta fibre encor répond et pleure :
20 Voici l'heure de nos adieux.

Reçois cette larme rebelle
Que mes yeux ne peuvent cacher.
Combien sur ta corde fidèle
Mon âme*, hélas! en versa-t-elle,
25 Que tes soupirs n'ont pu sécher!

Sur cette terre infortunée,
Où tous les yeux versent des pleurs,
Toujours de cyprès couronnée,
La lyre ne nous fut donnée
30 Que pour endormir nos douleurs.

Tout ce qui chante ne répète
Que des regrets ou des désirs;
Du bonheur* la corde est muette;
De Philomèle[1] et du poète
35 Les plus doux chants sont des soupirs.

Dans l'ombre* auprès d'un mausolée,
O lyre, tu suivis mes pas;
Et, des doux festins exilée*,
Jamais ta voix ne s'est mêlée
40 Aux chants des heureux d'ici-bas.

Pendue aux saules de la rive,
Libre comme l'oiseau des bois,
On n'a point vu ma main craintive
T'attacher, comme une captive,
45 Aux portes des palais des rois.

Des partis l'haleine glacée
Ne t'inspira pas tour à tour;
Aussi chaste que la pensée,
Nul souffle ne t'a caressée,
50 Hormis le souffle de l'Amour*.

---

1. *Philomèle*, fille du roi d'Athènes Pandion, et victime de l'amour qu'elle inspira
à son beau-frère Térée, époux de sa sœur Procné, fut changée en rossignol.

En quelque lieu qu'un sort sévère
Fît plier mon front sous ses lois,
Grâce à toi, mon âme* étrangère
A trouvé partout sur la terre
55   Un céleste écho de sa voix.

[VERS 56-110 : Sur les monts, sur les mers, Lamartine a chanté
Dieu et la femme aimée. Peut-être reviendra-t-il à la poésie dans sa
vieillesse, à moins qu'une mort précoce ne l'emporte — mais sa
poésie lui survivra.]

─────── **QUESTIONS** ───────

● VERS 26-55. Le rôle de la poésie (vers 26-35) : relevez tous les termes
qui définissent en termes modernes l'inspiration élégiaque telle que l'a
conçue Lamartine. Commentez notamment le vers 32. — Quelles sont
les formes de poésie que Lamartine a ignorées ou rejetées (vers 36-50)?
Comment justifie-t-il chaque fois son attitude? — Les vers 49-50 ne font-ils
pas écho aux vers 36-37? — La condition du poète d'après les vers 51-
55 : sa solitude lui est-elle pénible? Comment revient ici le thème de l'exil
si souvent développé par le poète? Cet exil mène-t-il au désespoir? A
quoi reconnaît-on ici encore le spiritualisme optimiste de Lamartine?

■ SUR L'ENSEMBLE DU POÈME « ADIEUX A LA POÉSIE ». — Cet adieu à la
poésie peut paraître surprenant au lecteur moderne, qui connaît la carrière littéraire de Lamartine; faut-il mettre en doute la sincérité de l'écri-
vain? Comment peut-on imaginer les raisons qui faisaient croire à Lamartine que son message poétique était terminé? Commentez sur ce point
l'image du vers 15.
— Dans quelle mesure ce poème est-il une postface qui est non seulement une profession de foi, mais aussi une justification? Tous les poèmes
des *Premières Méditations* et des *Nouvelles Méditations* répondent-ils
parfaitement aux principes que Lamartine professe sur la création poétique et sur les sources d'inspiration? Peut-on cependant affirmer que
l'image que le poète donne de son œuvre reste vraie dans ses grandes
lignes?

DOCUMENTATION THÉMATIQUE

réunie par la Rédaction des Nouveaux Classiques Larousse

LAMARTINE : TRADITION LITTÉRAIRE ET RÉVOLUTION DE LA SENSIBILITÉ

1. Le sentiment de la nature.

2. Le souvenir et la méditation sur l'amour passé, défunt ou trahi.

3. Lamartine dans une double perspective.

Quand, en 1816, Lamartine annonça la publication prochaine d'« élégies », tout laissait prévoir qu'il s'affirmerait comme un disciple de Parny. L'aventure spirituelle née de la rencontre et de la mort de Julie Charles devait infléchir dans une autre direction ses desseins poétiques.

Nourri de Voltaire, de Rousseau et de Delille, revenu de fraîche date au catholicisme, ce gentilhomme provincial n'était en rien prédisposé à bouleverser les modes et les idées reçues en littérature. D'ailleurs, le succès foudroyant et étendu des *Méditations* prouve qu'elles ne renversaient aucune habitude dans la majorité du public. Mais, sous un vêtement traditionnel et néo-classique, elles apportaient à la nouvelle génération la magie d'un art évocatoire, une écriture musicale qui suggère sans définir, réalisant l'union du sensible et du spirituel, et dont l'écho devait se prolonger, par-delà le mouvement romantique, jusqu'au seuil de l'entreprise symboliste. On rappellera ici quelques-unes parmi les plus significatives des influences qui ont marqué l'œuvre lamartinienne, ainsi que certaines résonances majeures. On saisira ainsi plus nettement l'originalité d'un livre qui, surgi d'une lente mais sincère expérience personnelle, devait être considéré comme l'expression d'un âge de la sensibilité française.

1. LE SENTIMENT DE LA NATURE

1.1. J.-J. ROUSSEAU.

◆ *Les Rêveries du promeneur solitaire,* Septième promenade (1776-1778).

> J'ai pensé quelquefois assez profondement ; mais rarement avec plaisir, presque toujours contre mon gré et comme par force ; la rêverie me delasse et m'amuse, la reflexion me fatigue et m'attriste ; penser fut toujours pour moi une occupation pénible et sans charme. Quelquefois mes rêveries finissent par la méditation, mais plus souvent mes méditations finissent par la rêverie, et durant ces égaremens mon ame erre et plâne dans l'univers sur les ailes de l'imagination dans des extases qui passent toute autre jouissance.

> Tant que je goutai celle-là dans toute sa pureté toute autre occupation me fut toujours insipide. Mais quand une fois, jetté dans la carriére litteraire par des impulsions étrangéres, je sentis la fatigue du travail d'esprit et l'importunité d'une célébrité malheureuse, je sentis en même tems languir et s'attiedir mes douces rêveries, et bientot forcé de m'occuper malgré moi de ma triste situation je ne pus plus retrouver que bien rarement ces chéres extases qui durant cinquante ans m'avoient

tenu lieu de fortune et de gloire, et sans autre dépense que celle du tems, m'avoient rendu dans l'oisiveté le plus heureux des mortels.

J'avois même à craindre dans mes rêveries que mon imagination effarouchée par mes malheurs ne tournât enfin de ce côté son activité, et que le continuel sentiment de mes peines me resserrant le cœur par degrés ne m'accablât enfin de leur poids. Dans cet état, un instinct qui m'est naturel, me faisant fuir toute idée attristante imposa silence à mon imagination et fixant mon attention sur les objets qui m'environnoient me fit pour la prémiére fois détailler le spectacle de la nature, que je n'avois guére contemplé jusqu'alors qu'en masse et dans son ensemble.

Les arbres, les arbrisseaux, les plantes sont la parure et le vêtement de la terre. Rien n'est si triste que l'aspect d'une campagne nue et pelée, qui n'étale aux yeux que des pierres, du limon et des sables. Mais vivifiée par la nature et revetue de sa robe de noces au milieu du cours des eaux et du chant des oiseaux, la terre offre à l'homme dans l'harmonie des trois régnes un spectacle plein de vie, d'intérêt et de charme, le seul spectacle au monde dont ses yeux et son cœur ne se lassent jamais.

Plus un contemplateur a l'ame sensible plus il se livre aux extases qu'excite en lui cet accord. Une rêverie douce et profonde s'empare alors de ses sens, et il se perd avec une délicieuse ivresse dans l'immensité de ce beau sistême avec lequel il se sent identifié. Alors tous les objets particuliers lui échappent ; il ne voit et ne sent rien que dans le tout. Il faut que quelque circonstance particulière resserre ses idées et circonscrive son imagination pour qu'il puisse observer par parties cet univers qu'il s'efforçoit d'embrasser.

C'est ce qui m'arriva naturellement quand mon cœur resserré par la detresse rapprochoit et concentroit tous ses mouvemens autour de lui pour conserver ce reste de chaleur prêt à s'évaporer et s'éteindre dans l'abatement où je tombois par degrés. J'errois nonchalemment dans les bois et dans les montagnes, n'osant penser de peur d'attiser mes douleurs. Mon imagination qui se refuse aux objets de peine laissoit mes sens se livrer aux impressions légères mais douces des objets environnans. Mes yeux se promenoient sans cesse de l'un à l'autre, et il n'étoit pas possible que dans une variété si grande il ne s'en trouvât qui les fixoient davantage et les arrêtoient plus longtems.

Je pris gout à cette recreation des yeux, qui dans l'infortune repose, amuse, distrait l'esprit et suspend le sentiment des peines. La nature des objets aide beaucoup à cette diversion et la rend plus séduisante. Les odeurs suaves, les vives couleurs, les plus elegantes formes semblent se disputer à l'envi le droit de fixer nôtre attention. Il ne faut qu'aimer le plaisir pour se livrer à des sensations si douces, et si cet effet n'a pas lieu sur tous ceux qui en sont frappés, c'est dans les uns faute de sensibilité naturelle et dans la pluspart que leur esprit trop occupé d'autres idées ne se livre qu'à la dérobée aux objets qui frappent leurs sens.

1.2. BERTIN : LES *AMOURS*, II, VIII (1783).

> Tout s'anime dans la nature,
> Doux Avril, tu descends des airs :
> Vénus détache sa ceinture ;
> Les fleurs émaillent la verdure,
> Et l'oiseau reprend ses concerts.
> Quittez le brouillard de la ville
> Et ses embarras indiscrets ;
> Paisible habitant du Marais,
> Courez dans ce vallon fertile
> Qu'ont embelli Flore et Cérès,
> De la campagne renaissante
> Respirer les douces odeurs,
> Et sur l'épine blanchissante
> Cueillir ses premières faveurs.
> Aux champs le printemps vous appelle ;
> Ah ! profitez de ses beaux jours.
> Heureux favori des Amours,
> C'est pour vous qu'il se renouvelle :
> Pour moi la peine est éternelle,
> Et l'hiver durera toujours.

1.3. CHATEAUBRIAND.

◆ *René* (1802).

Quand le soir était venu, reprenant le chemin de ma retraite, je m'arrêtais sur les ponts, pour voir se coucher le soleil. L'astre, enflammant les vapeurs de la cité, semblait osciller lentement dans un fluide d'or, comme le pendule de l'horloge des siècles. Je me retirais ensuite avec la nuit, à travers un labyrinthe de rues solitaires. En regardant les lumières qui brillaient dans les demeures des hommes, je me transportais par la pensée au milieu des scènes de douleur et de joie qu'elles éclairaient ; et je songeais que sous tant de toits habités, je n'avais pas un ami. Au milieu de mes réflexions, l'heure venait frapper à coups mesurés dans la tour de la cathédrale gothique ; elle allait se répétant sur tous les tons et à toutes les distances d'église en église. Hélas ! chaque heure dans la société ouvre un tombeau, et fait couler des larmes.

Cette vie, qui m'avait d'abord enchanté, ne tarda pas à me devenir insupportable. Je me fatiguai de la répétition des mêmes scènes et des mêmes idées. Je me mis à sonder mon cœur, à me demander ce que je désirais. Je ne le savais pas; mais je crus tout à coup que les bois me seraient délicieux. Me voilà soudain résolu d'achever, dans un exil champêtre, une carrière à peine commencée, et dans laquelle j'avais déjà dévoré des siècles.

J'embrassai ce projet avec l'ardeur que je mets à tous mes desseins; je partis précipitamment pour m'ensevelir dans une chaumière, comme j'étais parti autrefois pour faire le tour du monde.

On m'accuse d'avoir des goûts inconstants, de ne pouvoir jouir longtemps de la même chimère, d'être la proie d'une imagination qui se hâte d'arriver au fond de mes plaisirs, comme si elle était accablée de leur durée; on m'accuse de passer toujours le but que je puis atteindre : hélas ! je cherche seulement un bien inconnu, dont l'instinct me poursuit. Est-ce ma faute, si je trouve partout des bornes, si ce qui est fini n'a pour moi aucune valeur? Cependant je sens que j'aime la monotonie des sentiments de la vie, et si j'avais encore la folie de croire au bonheur, je le chercherais dans l'habitude.

La solitude absolue, le spectacle de la nature, me plongèrent bientôt dans un état presque impossible à décrire. Sans parents, sans amis, pour ainsi dire seul sur la terre, n'ayant point encore aimé, j'étais accablé d'une surabondance de vie. Quelquefois je rougissais subitement, et je sentais couler dans mon cœur, comme des ruisseaux d'une lave ardente; quelquefois je poussais des cris involontaires, et la nuit était également troublée de mes songes et de mes veilles. Il me manquait quelque chose pour remplir l'abîme de mon existence : je descendais dans la vallée, je m'élevais sur la montagne, appelant de toute la force de mes désirs l'idéal objet d'une flamme future; je l'embrassais dans les vents; je croyais l'entendre dans les gémissements du fleuve; tout était ce fantôme imaginaire, et les astres dans les cieux, et le principe même de vie dans l'univers.

Toutefois cet état de calme et de trouble, d'indigence et de richesse, n'était pas sans quelques charmes. Un jour je m'étais amusé à effeuiller une branche de saule sur un ruisseau, et à attacher une idée à chaque feuille que le courant entraînait. Un roi qui craint de perdre sa couronne par une révolution subite, ne ressent pas des angoisses plus vives que les miennes, à chaque accident qui menaçait les débris de mon rameau. O faiblesse des mortels ! O enfance du cœur humain qui ne vieillit jamais ! Voilà donc à quel degré de puérilité notre superbe raison peut descendre ! Et encore est-il vrai que bien des hommes attachent leur destinée à des choses d'aussi peu de valeur que mes feuilles de saule.

Mais comment exprimer cette foule de sensations fugitives, que j'éprouvais dans mes promenades? Les sons que rendent les passions dans le vide d'un cœur solitaire, ressemblent au murmure que les vents et les eaux font entendre dans le silence d'un désert : on en jouit, mais on ne peut les peindre. L'automne me surprit au milieu de ces incertitudes : j'entrai avec ravissement dans les mois des tempêtes. Tantôt j'aurais voulu être un de ces guerriers errant au milieu des vents, des nuages et des fantômes, tantôt j'enviais jusqu'au sort du pâtre que je voyais réchauffer ses mains à l'humble feu de broussailles qu'il avait allumé au coin d'un bois. J'écoutais ses chants mélancoliques, qui me rappelaient que dans tout pays, le chant naturel de l'homme est triste, lors même qu'il exprime le bonheur. Notre cœur est un instrument incomplet, une lyre où il manque des cordes, et où nous sommes forcés de rendre les accents de la joie sur le ton consacré aux soupirs.

Le jour je m'égarais sur de grandes bruyères terminées par des forêts. Qu'il fallait peu de chose à ma rêverie : une feuille séchée que le vent chassait devant moi, une cabane dont la fumée s'élevait dans la cime dépouillée des arbres, la mousse qui tremblait au souffle du nord sur le tronc d'un chêne, une roche écartée, un étang désert où le jonc flétri murmurait! Le clocher du hameau, s'élevant au loin dans la vallée, a souvent attiré mes regards; souvent j'ai suivi des yeux les oiseaux de passage qui volaient au-dessus de ma tête. Je me figurais les bords ignorés, les climats lointains où ils se rendent; j'aurais voulu être sur leurs ailes. Un secret instinct me tourmentait; je sentais que je n'étais moi-même qu'un voyageur; mais une voix du ciel semblait me dire : « Homme, la saison de ta « migration n'est pas encore venue; attends que le vent de la « mort se lève, alors tu déploieras ton vol vers ces régions « inconnues que ton cœur demande. »

Levez-vous vite, orages désirés, qui devez emporter René dans les espaces d'une autre vie! Ainsi disant, je marchais à grands pas, le visage enflammé, le vent sifflant dans ma chevelure, ne sentant ni pluie ni frimas, enchanté, tourmenté, et comme possédé par le démon de mon cœur. La nuit, lorsque l'aquilon ébranlait ma chaumière, que les pluies tombaient en torrent sur mon toit, qu'à travers ma fenêtre je voyais la lune sillonner les nuages amoncelés, comme un pâle vaisseau qui laboure les vagues, il me semblait que la vie redoublait au fond de mon cœur, que j'aurais eu la puissance de créer des mondes. Ah! si j'avais pu faire partager à une autre les transports que j'éprouvais! O Dieu! si tu m'avais donné une femme selon mes désirs; si, comme à notre premier père, tu m'eusses amené par la main une Ève tirée de moi-même... Beauté céleste, je me serais prosterné devant toi; puis, te prenant dans mes bras, j'aurais prié l'Eternel de te donner le reste de ma vie.

Hélas! j'étais seul, seul sur la terre! Une langueur secrète s'emparait de mon corps. Ce dégoût de la vie que j'avais ressenti dès mon enfance, revenait avec une force nouvelle. Bientôt mon cœur ne fournit plus d'aliment à ma pensée, et je ne m'apercevais de mon existence que par un profond sentiment d'ennui.

◆ *Mémoires d'Outre-Tombe,* Première partie, livre III, chapitre XIII : « Mes joies de l'automne » (écrit vers 1817).

Plus la saison était triste, plus elle était en rapport avec moi : le temps des frimas, en rendant les communications moins faciles, isole les habitants des campagnes : on se sent mieux à l'abri des hommes.

Un caractère moral s'attache aux scènes de l'automne : ces feuilles qui tombent comme nos ans, ces fleurs qui se fanent comme nos heures, ces nuages qui fuient comme nos illusions, cette lumière qui s'affaiblit comme notre intelligence, ce soleil qui se refroidit comme nos amours, ces fleuves qui se glacent comme notre vie, ont des rapports secrets avec nos destinées. Je voyais avec un plaisir indicible le retour de la saison des tempêtes, le passage des cygnes et des ramiers, le rassemblement des corneilles dans la prairie de l'étang, et leur perchée à l'entrée de la nuit sur les plus hauts chênes du grand Mail. Lorsque le soir élevait une vapeur bleuâtre au carrefour des forêts, que les complaintes ou les lais du vent gémissaient dans les mousses flétries, j'entrais en pleine possession des sympathies de ma nature. Rencontrais-je quelque laboureur au bout d'un guéret ? je m'arrêtais pour regarder cet homme germé à l'ombre des épis parmi lesquels il devait être moissonné, et qui retournant la terre de sa tombe avec le soc de la charrue, mêlait ses sueurs brûlantes aux pluies glacées de l'automne : le sillon qu'il creusait était le monument destiné à lui survivre. Que faisait à cela mon élégante démone ? Par sa magie, elle me transportait au bord du Nil, me montrait la pyramide égyptienne noyée dans le sable, comme un jour le sillon armoricain caché sous la bruyère : je m'applaudissais d'avoir placé les fables de ma félicité hors du cercle des réalités humaines.

Le soir je m'embarquais sur l'étang, conduisant seul mon bateau au milieu des joncs et des larges feuilles flottantes du nénuphar. Là, se réunissaient les hirondelles prêtes à quitter nos climats. Je ne perdais pas un seul de leurs gazouillis : Tavernier enfant était moins attentif au récit d'un voyageur.

Elles se jouaient sur l'eau au tomber du soleil, poursuivaient les insectes, s'élançaient ensemble dans les airs, comme pour éprouver leurs ailes, se rabattaient à la surface du lac, puis se venaient suspendre aux roseaux que leur poids courbait à peine, et qu'elles remplissaient de leur ramage confus.

1.4. SENANCOUR : *OBERMAN* (1804)

◆ « Lettre XVIII ».

Même triste, je n'aime que le soir. L'aurore me plaît un moment : je crois que je sentirais sa beauté, mais le jour qui va la suivre doit être si long ! J'ai bien une terre libre à parcourir ; mais elle n'est pas assez sauvage, assez imposante. Les formes en sont basses ; les roches petites et monotones ; la végétation n'y a pas en général cette force, cette profusion qui m'est nécessaire ; on n'y entend bruire aucun torrent dans des profondeurs inaccessibles : c'est une terre des plaines. Rien ne m'opprime ici, rien ne me satisfait. Je crois même que l'ennui augmente : c'est que je ne souffre pas assez. Je suis donc plus heureux ? Point du tout : souffrir ou être malheureux, ce n'est pas la même chose ; jouir ou être heureux, ce n'est pas non plus une même chose.

Ma situation est douce, et je mène une triste vie. Je suis ici on ne peut mieux ; libre, tranquille, bien portant, sans affaires, indifférent sur l'avenir dont je n'attends rien, et perdant sans peine le passé dont je n'ai pas joui. Mais il y a dans moi une inquiétude qui ne me quittera pas ; c'est un besoin que je ne connais pas, que je ne conçois pas, qui me commande, qui m'absorbe, qui m'emporte au-delà des êtres périssables... Vous vous trompez, et je m'y étais trompé moi-même : ce n'est pas le besoin d'aimer. Il y a une distance bien grande du vide de mon cœur à l'amour qu'il a tant désiré ; mais il y a l'infini entre ce que je suis et ce que j'ai besoin d'être. L'amour est immense, il n'est pas infini. Je ne veux point jouir ; je veux espérer, je voudrais savoir ! Il me faut des illusions sans bornes, qui s'éloignent pour me tromper toujours. Que m'importe ce qui peut finir ? L'heure qui arrivera dans soixante années est là tout auprès de moi. Je n'aime point ce qui se prépare, s'approche, arrive, et n'est plus. Je veux un bien, un rêve, une espérance enfin qui soit toujours devant moi, au-delà de moi, plus grande que mon attente elle-même, plus grande que tout ce qui passe. Je voudrais être toute intelligence, et que l'ordre éternel du monde... Et, il y a trente ans, l'ordre était, et je n'étais point !

Accident éphémère et inutile, je n'existais pas, je n'existerai pas : je trouve avec étonnement mon idée plus vaste que mon être ; et, si je considère que ma vie est ridicule à mes propres yeux, je me perds dans des ténèbres impénétrables. Plus heureux sans doute celui qui coupe du bois, qui fait du charbon, et qui prend de l'eau bénite quand le tonnerre gronde ! Il vit comme la brute ? Non : mais il chante en travaillant. Je ne connaîtrai point sa paix, et je passerai comme lui. Le temps aura fait couler sa vie ; l'agitation, l'inquiétude, les fantômes d'une puérile grandeur égarent et précipitent la mienne.

◆ « Lettre XXIV ».

Lorsque les frimas s'éloignent, je m'en aperçois à peine ; le printemps passe, et ne m'a pas attaché ; l'été passe, je ne le regrette point. Mais je me plais à marcher sur les feuilles tombées, aux derniers beaux jours, dans la forêt dépouillée.

D'où vient à l'homme la plus durable des jouissances de son cœur, cette volupté de la mélancolie, ce charme plein de secrets, qui le fait vivre de ses douleurs et s'aimer encore dans le sentiment de sa ruine ? Je m'attache à la saison heureuse qui bientôt ne sera plus : un intérêt tardif, un plaisir qui paraît contradictoire m'amène à elle alors qu'elle va finir. Une même loi morale me rend pénible l'idée de la destruction, et m'en fait aimer ici le sentiment dans ce qui doit cesser avant moi. Il est naturel que nous jouissions mieux de l'existence périssable, lorsqu'avertis de toute sa fragilité nous la sentons néanmoins durer en nous. Quand la mort nous sépare de tout, tout reste pourtant ; tout subsiste sans nous. Mais, à la chute des feuilles, la végétation s'arrête, elle meurt ; nous, nous restons pour des générations nouvelles, et l'automne est délicieuse parce que le printemps doit venir encore pour nous.

Le printemps est plus beau dans la nature ; mais l'homme a tellement fait que l'automne est plus douce. La verdure qui naît, l'oiseau qui chante, la fleur qui s'ouvre ; et ce feu qui revient affermir la vie, ces ombrages qui protègent d'obscurs asiles ; et ces herbes fécondes, ces fruits sans culture, ces nuits faciles qui permettent l'indépendance ! Saison du bonheur ! je vous redoute trop dans mon ardente inquiétude. Je trouve plus de repos vers le soir de l'année, et la saison où tout paraît finir est la seule où je dorme en paix sur la terre de l'homme.

1.5. Mme DE STAËL : *DE L'ALLEMAGNE* (1810)

Une romance de Gœthe produit un effet délicieux par les moyens les plus simples : c'est *le Pêcheur*. Un pauvre homme s'assied sur le bord d'un fleuve, un soir d'été, et, tout en jetant sa ligne, il contemple l'eau claire et limpide qui vient baigner doucement ses pieds nus. La nymphe de ce fleuve l'invite à s'y plonger ; elle lui peint les délices de l'onde pendant la chaleur, le plaisir que le soleil trouve à se rafraîchir la nuit dans la mer, le calme de la lune, quand ses rayons se reposent et s'endorment au sein des flots; enfin, le pêcheur, attiré, séduit, entraîné, s'avance vers la nymphe, et disparaît pour toujours. Le fond de cette romance est peu de chose; mais ce qui est ravissant, c'est l'art de faire sentir le pouvoir mystérieux que peuvent exercer les phénomènes de la nature. On dit qu'il y a des personnes qui découvrent les sources cachées sous la terre par l'agitation nerveuse qu'elles leur causent : on croit souvent reconnaître dans la poésie allemande ces miracles de la sympathie entre l'homme et les éléments. Le poète allemand comprend la nature, non pas seulement en poète, mais en frère; et l'on dirait que des rapports de famille lui parlent pour l'air, l'eau, les fleurs, les arbres, enfin pour toutes les beautés primitives de la création. Il n'est personne qui n'ait senti l'attrait indéfinissable que les vagues font éprouver, soit par le charme de la fraîcheur, soit par l'ascendant qu'un mouvement uniforme et perpétuel pourrait prendre insensiblement sur une existence passagère et périssable. La romance de Gœthe exprime admirablement le plaisir toujours croissant qu'on trouve à considérer les ondes pures d'un fleuve : le balancement du rythme et de l'harmonie imite celui des flots, et produit sur l'imagination un effet analogue. L'âme de la nature se fait connaître à nous de toutes parts et sous mille formes diverses. La campagne fertile, comme les déserts abandonnés, la mer, comme les étoiles, sont soumises aux mêmes lois; et l'homme renferme en lui-même des sensations, des puissances occultes qui correspondent avec le jour, avec la nuit, avec l'orage : c'est cette alliance secrète de notre être avec les merveilles de l'univers qui donne à la poésie sa véritable grandeur. Le poète sait rétablir l'unité du monde physique avec le monde moral : son imagination forme un lien entre l'un et l'autre.

1.6. HUGO

◆ *Les Feuilles d'automne*, I, xxxv (1831).

J'aime les soirs sereins et beaux, j'aime les soirs,
Soit qu'ils dorent le front des antiques manoirs
    Ensevelis dans les feuillages;
Soit que la brume au loin s'allonge en bancs de feu;
Soit que mille rayons brisent dans un ciel bleu
    A des archipels de nuages.

Oh! regardez le ciel! cent nuages mouvants,
Amoncelés là-haut sous le souffle des vents,
    Groupent leurs formes inconnues;
Sous leurs flots par moments flamboie un pâle éclair,
Comme si tout à coup quelque géant de l'air
    Tirait son glaive dans les nues.

Le soleil, à travers leurs ombres, brille encor ;
Tantôt fait, à l'égal des larges dômes d'or,
　　　Luire le toit d'une chaumière ;
Ou dispute aux brouillards les vagues horizons ;
Ou découpe, en tombant sur les sombres gazons,
　　　Comme de grands lacs de lumière.

Puis voilà qu'on croit voir, dans le ciel balayé,
Pendre un grand crocodile au dos large et rayé,
　　　Aux trois rangs de dents acérées ;
Sous son ventre plombé glisse un rayon du soir ;
Cent nuages ardents luisent sous son flanc noir,
　　　Comme des écailles dorées.

Puis se dresse un palais. Puis l'air tremble, et tout fuit.
L'édifice effrayant des nuages détruit
　　　S'écroule en ruines pressées ;
Il jonche au loin le ciel, et ses cônes vermeils
Pendent, la pointe en bas, sur nos têtes, pareils
　　　A des montagnes renversées.

Ces nuages de plomb, d'or, de cuivre, de fer,
Où l'ouragan, la trombe, et la foudre, et l'enfer
　　　Dorment avec de sourds murmures,
C'est Dieu qui les suspend en foule aux cieux profonds,
Comme un guerrier qui pend aux poutres des plafonds
　　　Ses retentissantes armures.

Tout s'en va ! Le soleil, d'en haut précipité,
Comme un globe d'airain qui, rouge, est rejeté
　　　Dans les fournaises remuées,
En tombant sur leurs flots que son choc désunit
Fait en flocons de feu jaillir jusqu'au zénith
　　　L'ardente écume des nuées.

Oh ! contemplez le ciel ! et dès qu'a fui le jour,
En tout temps, en tout lieu, d'un ineffable amour,
　　　Regardez à travers ses voiles ;
Un mystère est au fond de leur grave beauté,
L'hiver, quand ils sont noirs comme un linceul, l'été,
　　　Quand la nuit les brode d'étoiles.

1.7. VIGNY : *LA MAISON DU BERGER* (1844)

LETTRE À ÉVA

I

Si ton cœur, gémissant du poids de notre vie,
Se traîne et se débat comme un aigle blessé,

Portant comme le mien, sur son aile asservie,
Tout un monde fatal, écrasant et glacé ;
S'il ne bat qu'en saignant par sa plaie immortelle,
S'il ne voit plus l'amour, son étoile fidèle,
Eclairer pour lui seul l'horizon effacé ;

Si ton âme enchaînée, ainsi que l'est mon âme,
Lasse de son boulet et de son pain amer,
Sur sa galère en deuil laisse tomber la rame,
Penche sa tête pâle et pleure sur la mer,
Et cherchant dans les flots une route inconnue,
Y voit, en frissonnant, sur son épaule nue,
La lettre sociale écrite avec le fer ;

Si ton corps, frémissant des passions secrètes,
S'indigne des regards, timide et palpitant ;
S'il cherche à sa beauté de profondes retraites
Pour la mieux dérober au profane insultant ;
Si ta lèvre se sèche au poison des mensonges,
Si ton beau front rougit de passer dans les songes
D'un impur inconnu qui te voit et t'entend,

Pars courageusement, laisse toutes les villes ;
Ne ternis plus tes pieds aux poudres du chemin ;
Du haut de nos pensers vois les cités serviles
Comme les rocs fatals de l'esclavage humain.
Les grands bois et les champs sont de vastes asiles,
Libres comme la mer autour des sombres îles.
Marche à travers les champs une fleur à la main.

La Nature t'attend dans un silence austère ;
L'herbe élève à tes pieds son nuage des soirs,
Et le soupir d'adieu du soleil à la terre
Balance les beaux lys comme des encensoirs.
La forêt a voilé ses colonnes profondes,
La montagne se cache, et sur les pâles ondes
Le saule a suspendu ses chastes reposoirs.

Le crépuscule ami s'endort dans la vallée,
Sur l'herbe d'émeraude et sur l'or du gazon,
Sous les timides joncs de la source isolée
Et sous le bois rêveur qui tremble à l'horizon,
Se balance en fuyant dans les grappes sauvages,
Jette son manteau gris sur le bord des rivages,
Et des fleurs de la nuit entr'ouvre la prison.

Il est sur ma montagne une épaisse bruyère
Où les pas du chasseur ont peine à se plonger,
Qui plus haut que nos fronts lève sa tête altière,

Et garde dans la nuit le pâtre et l'étranger.
Viens y cacher l'amour et ta divine faute ;
Si l'herbe est agitée ou n'est pas assez haute,
J'y roulerai pour toi la Maison du Berger.

Elle va doucement avec ses quatre roues,
Son toit n'est pas plus haut que ton front et tes yeux ;
La couleur du corail et celle de tes joues
Teignent le char nocturne et ses muets essieux.
Le seuil est parfumé, l'alcôve est large et sombre,
Et, là, parmi les fleurs, nous trouverons dans l'ombre,
Pour nos cheveux unis, un lit silencieux [...]

[...] Viens donc ! le ciel pour moi n'est plus qu'une auréole
Qui t'entoure d'azur, t'éclaire et te défend ;
La montagne est ton temple et le bois sa coupole ;
L'oiseau n'est sur la fleur balancé par le vent,
Et la fleur ne parfume et l'oiseau ne soupire
Que pour mieux enchanter l'air que ton sein respire ;
La terre est le tapis de tes beaux pieds d'enfant.

Eva, j'aimerai tout dans les choses créées,
Je les contemplerai dans ton regard rêveur
Qui partout répandra ses flammes colorées,
Son repos gracieux, sa magique saveur :
Sur mon cœur déchiré viens poser ta main pure,
Ne me laisse jamais seul avec la Nature,
Car je la connais trop pour n'en pas avoir peur.

Elle me dit : « Je suis l'impassible théâtre
Que ne peut remuer le pied de ses acteurs ;
Mes marches d'émeraude et mes parvis d'albâtre,
Mes colonnes de marbre ont les dieux pour sculpteurs.
Je n'entends ni vos cris ni vos soupirs ; à peine
Je sens passer sur moi la comédie humaine
Qui cherche en vain au ciel ses muets spectateurs.

« Je roule avec dédain, sans voir et sans entendre,
A côté des fourmis les populations ;
Je ne distingue pas leur terrier de leur cendre,
J'ignore en les portant les noms des nations.
On me dit une mère, et je suis une tombe.
Mon hiver prend vos morts comme son hécatombe,
Mon printemps ne sent pas vos adorations.

« Avant vous, j'étais belle et toujours parfumée,
J'abandonnais au vent mes cheveux tout entiers,
Je suivais dans les cieux ma route accoutumée,
Sur l'axe harmonieux des divins balanciers.

Après vous, traversant l'espace où tout s'élance,
J'irai seule et sereine, en un chaste silence
Je fendrai l'air du front et de mes seins altiers. »

C'est là ce que me dit sa voix triste et superbe,
Et dans mon cœur alors je la hais, et je vois
Notre sang dans son onde et nos morts sous son herbe
Nourrissant de leurs sucs la racine des bois.
Et je dis à mes yeux qui lui trouvaient des charmes :
« Ailleurs tous vos regards, ailleurs toutes vos larmes,
Aimez ce que jamais on ne verra deux fois. »

Oh ! qui verra deux fois ta grâce et ta tendresse,
Ange doux et plaintif qui parle en soupirant ?
Qui naîtra comme toi portant une caresse
Dans chaque éclair tombé de ton regard mourant,
Dans les balancements de ta tête penchée,
Dans ta taille indolente et mollement couchée,
Et dans ton pur sourire amoureux et souffrant ?

Vivez, froide Nature, et revivez sans cesse
Sous nos pieds, sur nos fronts, puisque c'est votre loi ;
Vivez, et dédaignez, si vous êtes déesse,
L'Homme, humble passager, qui dut vous être un roi ;
Plus que tout votre règne et que ses splendeurs vaines,
J'aime la majesté des souffrances humaines :
Vous ne recevrez pas un cri d'amour de moi.

2. LE SOUVENIR ET LA MÉDITATION
SUR L'AMOUR PASSÉ, DÉFUNT OU TRAHI

2.1. J.-J. ROUSSEAU : *LA NOUVELLE HÉLOÏSE*

Quatrième partie, lettre XVII (1761).

Vous savez qu'après mon éxil du Valais, je revins il y a
dix ans à Meillerie attendre la permission de mon retour.
C'est là que je passai des jours si tristes et si délicieux, uniquement occupé d'elle, et c'est de là que je lui écrivis une lettre
dont elle fut si touchée. J'avois toujours désiré de revoir la
retraite isolée qui me servit d'azile au milieu des glaces, et où
mon cœur se plaisoit à converser en lui-même avec ce qu'il
eut de plus cher au monde. L'occasion de visiter ce lieu si
chéri, dans une saison plus agréable et avec celle dont l'image
l'habitoit jadis avec moi, fut le motif secret de ma promenade.
Je me faisois un plaisir de lui montrer d'anciens monumens
d'une passion si constante et si malheureuse.
Nous y parvinmes après une heure de marche par des sentiers

tortueux et frais, qui, montant insensiblement entre les arbres et les rochers, n'avoient rien de plus incomode que la longueur du chemin. En approchant et reconnoissant mes anciens renseignemens, je fus prêt à me trouver mal; mais je me surmontai, je cachai mon trouble, et nous arrivames. Ce lieu solitaire formoit un reduit sauvage et desert; mais plein de ces sortes de beautés qui ne plaisent qu'aux ames sensibles et paroissent horribles aux autres. Un torrent formé par la fonte des neiges rouloit à vingt pas de nous une eau bourbeuse, et charrioit avec bruit du limon, du sable et des pierres. Derriere nous une chaîne de roches inaccessibles séparoit l'esplanade où nous étions de cette partie des Alpes qu'on nomme les glacieres, parce que d'énormes sommets de glace qui s'accroissent incessamment les couvrent depuis le commencement du monde[1]. Des forêts de noirs sapins nous ombrageoient tristement à droite. Un grand bois de chêne étoit à gauche au delà du torrent, et au dessous de nous cette immense plaine d'eau que le lac forme au sein des Alpes nous séparoit des riches côtes du pays de Vaud, dont la Cime du majestueux Jura couronnoit le tableau.

Au milieu de ces grands et superbes objets, le petit terrain où nous étions étaloit les charmes d'un séjour riant et champêtre; quelques ruisseaux filtroient à travers les rochers, et rouloient sur la verdure en filets de cristal. Quelques arbres fruitiers sauvages panchoient leurs têtes sur les notres; la terre humide et fraîche étoit couverte d'herbe et de fleurs. En comparant un si doux séjour aux objets qui l'environnoient, il sembloit que ce lieu désert dut être l'azile de deux amans échappés seuls au bouleversement de la nature.

Quand nous eumes atteint ce réduit et que je l'eus quelque tems contemplé : Quoi! dis-je à Julie en la regardant avec un œil humide, votre cœur ne vous dit-il rien ici, et ne sentez-vous point quelque émotion secrète à l'aspect d'un lieu si plein de vous? Alors sans attendre sa réponse, je la conduisis vers le rocher et lui montrai son chiffre gravé dans mille endroits, et plusieurs vers du Petrarque et du Tasse relatifs à la situation où j'étois en les traçant. En les revoyant moi-même après si longtems, j'éprouvai combien la présence des objets peut ranimer puissamment les sentimens violens dont on fut agité près d'eux. Je lui dis avec un peu de véhémence : O Julie, éternel charme de mon cœur! Voici les lieux où soupira jadis pour toi le plus fidelle amant du monde. Voici le séjour où ta chere image faisoit son bonheur, et préparoit celui qu'il reçut

---

1. Ces montagnes sont si hautes qu'une demie heure après le soleil couché leurs sommets sont encore éclairés de ses rayons, dont le rouge forme sur ces cimes blanches une belle couleur de rose qu'on apperçoit de fort loin. [Note de l'auteur.]

enfin de toi-même. On n'y voyoit alors ni ces fruits ni ces ombrages : La verdure et les fleurs ne tapissoient point ces compartimens ; le cours de ces ruisseaux n'en formoit point les divisions ; ces oiseaux n'y faisoient point entendre leurs ramages, le vorace épervier, le corbeau funebre et l'aigle terrible des Alpes faisoient seuls retentir de leurs cris ces cavernes ; d'immenses glaces pendoient à tous ces rochers ; des festons de neige étoient le seul ornement de ces arbres ; tout respiroit ici les rigueurs de l'hiver et l'horreur des frimats ; les feux seuls de mon cœur me rendoient ce lieu supportable, et les jours entiers s'y passoient à penser à toi. Voila la pierre où je m'asseyois pour contempler au loin ton heureux séjour ; sur celle-ci fut écrite la Lettre qui toucha ton cœur ; ces cailloux tranchans me servoient de burin pour graver ton chiffre ; ici je passai le torrent glacé pour reprendre une de tes Lettres qu'emportoit un tourbillon ; là je vins relire et baiser mille fois la derniere que tu m'écrivis ; voila le bord où d'un œil avide et sombre je mesurois la profondeur de ces abimes ; enfin ce fut ici qu'avant mon triste départ je vins te pleurer mourante et jurer de ne te pas survivre. Fille trop constamment aimée, ô toi pour qui j'étois né ! Faut-il me retrouver avec toi dans les mêmes lieux, et regretter le tems que j'y passois à gémir de ton absence ?... j'allois continuer ; mais Julie, qui me voyant approcher du bord s'étoit effrayée et m'avoit saisi la main, la serra sans mot dire, en me regardant avec tendresse et retenant avec peine un soupir ; puis tout à coup détournant la vue et me tirant par le bras : allons-nous en, mon ami, me dit-elle d'une voix émue, l'air de ce lieu n'est pas bon pour moi. Je partis avec elle en gémissant, mais sans lui répondre, et je quittai pour jamais ce triste réduit, comme j'aurois quitté Julie elle-même.

Revenus lentement au port après quelques détours, nous nous séparames. Elle voulut rester seule, et je continuai de me promener sans trop savoir où j'allois ; à mon retour le bateau n'étant pas encore prêt ni l'eau tranquille, nous soupames tristement, les yeux baissés, l'air rêveur, mangeant peu et parlant encore moins. Après le soupé, nous fumes nous asseoir sur la greve en attendant le moment du départ. Insensiblement la lune se leva, l'eau devint plus calme, et Julie me proposa de partir. Je lui donnai la main pour entrer dans le bateau, et en m'asseyant à côté d'elle je ne songeai plus à quiter sa main. Nous gardions un profond silence. Le bruit égal et mesuré des rames m'excitoit à rêver. Le chant assés gai des bécassines[2],

---

2. La bécassine du lac de Genève n'est point l'oiseau qu'on appelle en France du même nom. Le chant plus vif et plus animé de la notre donne au lac durant les nuits d'été un air de vie et de fraîcheur qui rend ses rives encore plus charmantes. [Note de l'auteur.]

me retraçant les plaisirs d'un autre âge, au lieu de m'égayer m'attristoit. Peu à peu je sentis augmenter la mélancolie dont j'étois accablé. Un ciel serain, les doux rayons de la lune, le frémissement argenté dont l'eau brilloit autour de nous, le concours des plus agréables sensations, la présence même de cet objet chéri, rien ne pût détourner de mon cœur mille réflexions douloureuses.

Je commençai par me rappeller une promenade semblable faite autrefois avec elle durant le charme de nos premieres amours. Tous les sentimens délicieux qui remplissoient alors mon ame s'y retracerent pour l'affliger ; tous les événemens de notre jeunesse, nos études, nos entretiens, nos lettres, nos rendez-vous, nos plaisirs, ces foules de petits objets qui

E tanta fede, e sì dolci memorie.
E sì lungo costume !

m'offroient l'image de mon bonheur passé, tout revenoit, pour augmenter ma misere présente, prendre place en mon souvenir. C'en est fait, disois-je en moi-même, ces tems, ces tems heureux ne sont plus ; ils ont disparu pour jamais. Hélas, ils ne reviendront plus ; et nous vivons, et nous sommes ensemble, et nos cœurs sont toujours unis ! Il me sembloit que j'aurois porté plus patiemment sa mort ou son absence, et que j'avois moins souffert tout le tems que j'avois passé loin d'elle. Quand je gémissois dans l'éloignement, l'espoir de la revoir soulageoit mon cœur ; je me flatois qu'un instant de sa présence efface-roit toutes mes peines, j'envisageois au moins dans les possibles un état moins cruel que le mien. Mais se trouver auprès d'elle ; mais la voir, la toucher, lui parler, l'aimer, l'adorer, et presque en la possédant encore, la sentir perdue à jamais pour moi ; voila ce qui me jettoit dans des accès de fureur et de rage qui m'agiterent par degrés jusqu'au desespoir. Bien-tôt je com-mençai de rouler dans mon esprit des projets funestes, et dans un transport dont je frémis en y pensant, je fus violemment tenté de la précipiter avec moi dans les flots, et d'y finir dans ses bras ma vie et mes longs tourmens. Cette horrible tentation devint à la fin si forte que je fus obligé de quiter brusquement sa main pour passer à la pointe du bateau.

Là mes vives agitations commencerent à prendre un autre cours ; un sentiment plus doux s'insinua peu à peu dans mon ame, l'attendrissement surmonta le desespoir ; je me mis à verser des torrens de larmes, et cet état comparé à celui dont je sortois n'étoit pas sans quelques plaisirs. Je pleurai forte-ment, longtems, et fus soulagé. Quand je me trouvai bien remis, je revins auprès de Julie ; je repris sa main. Elle tenoit son mouchoir ; je le sentis fort mouillé. Ah, lui dis-je tout bas, je vois que nos cœurs n'ont jamais cessé de s'entendre ! Il est vrai, dit-elle d'une voix alterée ; mais que ce soit la derniere

fois qu'ils auront parlé sur ce ton. Nous recommençames
alors à causer tranquillement, et au bout d'une heure de navi-
gation, nous arrivames sans autre accident. Quand nous fumes
rentrés j'apperçus à la lumière qu'elle avoit les yeux rouges
et fort gonflés ; elle ne dut pas trouver les miens en meilleur
état. Après les fatigues de cette journée elle avoit grand besoin
de repos : elle se retira, et je fus me coucher.
Voila, mon ami, le détail du jour de ma vie où sans exception
j'ai senti les émotions les plus vives. J'espere qu'elles seront
la crise qui me rendra tout à fait à moi.

2.2. THOMAS : *ODE SUR LE TEMPS* (1762)

Le compas d'Uranie a mesuré l'espace.
O Temps, être inconnu que l'âme seule embrasse,
Invisible torrent des siècles et des jours,
Tandis que ton pouvoir m'entraîne dans la tombe,
    J'ose, avant que j'y tombe,
M'arrêter un moment pour contempler ton cours.

Qui me dévoilera l'instant qui t'a vu naître ?
Quel œil peut remonter aux sources de ton être ?
Sans doute ton berceau touche à l'éternité.
Quand rien n'était encore, enseveli dans l'ombre
    De cet abîme sombre,
Ton germe y reposait, mais sans activité.

Du chaos tout à coup les portes s'ébranlèrent ;
Des soleils allumés les feux étincelèrent ;
Tu naquis ; l'Eternel te prescrivit ta loi.
Il dit au mouvement : « Du Temps sois la mesure. »
    Il dit à la nature :
« Le Temps sera pour vous, l'Eternité pour moi. »

Dieu, telle est ton essence : oui, l'océan des âges
Roule au-dessous de toi sur tes frêles ouvrages,
Mais il n'approche pas de ton trône immortel.
Des millions de jours qui l'un l'autre s'effacent,
    Des siècles qui s'entassent
Sont comme le néant aux yeux de l'Eternel.

Mais moi, sur cet amas de fange et de poussière
En vain contre le Temps je cherche une barrière ;
Son vol impétueux me presse et me poursuit.
Je n'occupe qu'un point de la vaste étendue
    Et mon âme éperdue
Sous mes pas chancelants voit ce point qui s'enfuit.

De la destruction tout m'offre des images.
Mon œil épouvanté ne voit que des ravages ;

Ici, de vieux tombeaux que la mousse a couverts ;
Là, des murs abattus, des colonnes brisées,
              Des villes embrasées ;
Partout les pas du Temps empreints sur l'univers.

Cieux, terres, éléments, tout est sous sa puissance.
Mais tandis que sa main, dans la nuit du silence,
Du fragile univers sape les fondements ;
Sur des ailes de feu, loin du monde élancée,
              Mon active pensée
Plane sur les débris entassés par le Temps.

Siècles qui n'êtes plus, et vous qui devez naître,
J'ose vous appeler ; hâtez-vous de paraître,
Au moment où je suis, venez vous réunir.
Je parcours tous les points de l'immense durée
              D'une marche assurée :
J'enchaîne le présent, je vis dans l'avenir.

Le soleil épuisé dans sa brûlante course,
De ses feux par degrés verra tarir la source,
Et des mondes vieillis les ressorts s'useront.
Ainsi que des rochers qui du haut des montagnes
              Roulent sur les campagnes,
Les astres l'un sur l'autre un jour s'écrouleront.

Là, de l'éternité commencera l'empire ;
Et dans cet océan, où tout va se détruire,
Le Temps s'engloutira, comme un faible ruisseau.
Mais mon âme immortelle, aux siècles échappée,
              Ne sera point frappée,
Et des mondes brisés foulera le tombeau.

Des vastes mers, grand Dieu, tu fixas les limites,
C'est ainsi que du Temps les bornes sont prescrites.
Quel sera ce moment de l'éternelle nuit ?
Toi seul tu le connais, tu lui diras d'éclore :
              Mais l'univers l'ignore ;
Ce n'est qu'en périssant qu'il en doit être instruit.

Quand l'airain frémissant autour de vos demeures,
Mortels, vous avertit de la fuite des heures,
Que ce signal terrible épouvante vos sens.
A ce bruit, tout à coup, mon âme se réveille,
              Elle prête l'oreille
Et croit de la mort même entendre les accents.

Trop aveugles humains, quelle erreur vous enivre !
Vous n'avez qu'un instant pour penser et pour vivre,

Et cet instant qui fuit est pour vous un fardeau !
Avare de ses biens, prodigue de son être,
      Dès qu'il peut se connaître,
L'homme appelle la mort et creuse son tombeau.

L'un, courbé sous cent ans, est mort dès sa naissance ;
L'autre engage à prix d'or sa vénale existence ;
Celui-ci la tourmente à de pénibles jeux ;
Le riche se délivre, au prix de sa fortune,
      Du Temps qui l'importune ;
C'est en ne vivant pas que l'on croit vivre heureux.

Abjurez, ô mortels, cette erreur insensée !
L'homme vit par son âme, et l'âme est la pensée.
C'est elle qui pour vous doit mesurer le Temps !
Cultivez la sagesse ; apprenez l'art suprême
      De vivre avec soi-même ;
Vous pourrez sans effroi compter tous vos instants.

Si je devais un jour pour de viles richesses
Vendre ma liberté, descendre à des bassesses,
Si mon cœur par mes sens devait être amolli,
O Temps ! je te dirais : « Préviens ma dernière heure,
      Hâte-toi que je meure ;
J'aime mieux n'être pas que de vivre avili. »

Mais si de la vertu les généreuses flammes
Peuvent de mes écrits passer dans quelques âmes ;
Si je peux d'un ami soulager les douleurs ;
S'il est des malheureux dont l'obscure innocence
      Languisse sans défense,
Et dont ma faible main doive essuyer les pleurs,

O Temps, suspends ton vol, respecte ma jeunesse ;
Que ma mère, longtemps témoin de ma tendresse,
Reçoive mes tributs de respect et d'amour ;
Et vous, Gloire, Vertu, déesses immortelles,
      Que vos brillantes ailes
Sur mes cheveux blanchis se reposent un jour.

2.3. HUGO : *LES RAYONS ET LES OMBRES,* « TRISTESSE D'OLYMPIO » (1840).

Les champs n'étaient point noirs, les cieux n'étaient pas
                    [mornes.
Non, le jour rayonnait dans un azur sans bornes,
      Sur la terre étendu,
L'air était plein d'encens et les prés de verdures

Quand il revit ces lieux où par tant de blessures
      Son cœur s'est répandu !

L'automne souriait ; les coteaux vers la plaine
Penchaient leurs bois charmants qui jaunissaient à peine ;
      Le ciel était doré ;
Et les oiseaux, tournés vers celui que tout nomme,
Disant peut-être à Dieu quelque chose de l'homme,
      Chantaient leur chant sacré !

Il voulut tout revoir, l'étang près de la source,
La masure où l'aumône avait vidé leur bourse,
      Le vieux frêne plié,
Les retraites d'amour au fond des bois perdues,
L'arbre où dans les baisers leurs âmes confondues
      Avaient tout oublié !

Il chercha le jardin, la maison isolée,
La grille d'où l'œil plonge en une oblique allée,
      Les vergers en talus.
Pâle, il marchait. — Au bruit de son pas grave et sombre,
Il voyait à chaque arbre, hélas ! se dresser l'ombre
      Des jours qui ne sont plus !

Il entendait frémir dans la forêt qu'il aime
Ce doux vent qui, faisant tout vibrer en nous-même,
      Y réveille l'amour,
Et, remuant le chêne ou balançant la rose,
Semble l'âme de tout qui va sur chaque chose
      Se poser tour à tour !

Les feuilles qui gisaient dans le bois solitaire,
S'efforçant sous ses pas de s'élever de terre,
      Couraient dans le jardin ;
Ainsi, parfois, quand l'âme est triste, nos pensées
S'envolent un moment sur leurs ailes blessées,
      Puis retombent soudain.

Il contempla longtemps les formes magnifiques
Que la nature prend dans les champs pacifiques ;
      Il rêva jusqu'au soir ;
Tout le jour il erra le long de la ravine,
Admirant tour à tour le ciel, face divine,
      Le lac, divin miroir !

Hélas ! se rappelant ses douces aventures,
Regardant, sans entrer, par-dessus les clôtures,
      Ainsi qu'un paria,
Il erra tout le jour. Vers l'heure où la nuit tombe,

Il se sentit le cœur triste comme une tombe,
        Alors il s'écria :

« O douleur ! j'ai voulu, moi dont l'âme est troublée,
Savoir si l'urne encor conservait la liqueur,
Et voir ce qu'avait fait cette heureuse vallée
De tout ce que j'avais laissé là de mon cœur !

« Que peu de temps suffit pour changer toutes choses !
Nature au front serein, comme vous oubliez !
Et comme vous brisez dans vos métamorphoses
Les fils mystérieux où nos cœurs sont liés !

« Nos chambres de feuillage en halliers sont changées !
L'arbre où fut notre chiffre est mort ou renversé ;
Nos roses dans l'enclos ont été ravagées
Par les petits enfants qui sautent le fossé.

« Un mur clôt la fontaine où, par l'heure échauffée,
Folâtre, elle buvait en descendant des bois ;
Elle prenait de l'eau dans sa main, douce fée,
Et laissait retomber des perles de ses doigts !

« On a pavé la route âpre et mal aplanie,
Où, dans le sable pur se dessinant si bien,
Et de sa petitesse étalant l'ironie,
Son pied charmant semblait rire à côté du mien !

« La borne du chemin, qui vit des jours sans nombre,
Où jadis pour m'attendre elle aimait à s'asseoir,
S'est usée en heurtant, lorsque la route est sombre,
Les grands chars gémissants qui reviennent le soir.

« La forêt ici manque et là s'est agrandie.
De tout ce qui fut nous presque rien n'est vivant ;
Et, comme un tas de cendre éteinte et refroidie,
L'amas des souvenirs se disperse à tout vent !

« N'existons-nous donc plus ? Avons-nous eu notre heure ?
Rien ne la rendra-t-il à nos cris superflus ?
L'air joue avec la branche au moment où je pleure ;
Ma maison me regarde et ne me connaît plus.

« D'autres vont maintenant passer où nous passâmes.
Nous y sommes venus, d'autres vont y venir ;
Et le songe qu'avaient ébauché nos deux âmes,
Ils le continueront sans pouvoir le finir !

« Car personne ici-bas ne termine et n'achève ;
Les pires des humains sont comme les meilleurs ;

Nous nous réveillons tous au même endroit du rêve.
Tout commence en ce monde et tout finit ailleurs.

« Oui, d'autres à leur tour viendront, couples sans tache,
Puiser dans cet asile heureux, calme, enchanté,
Tout ce que la nature à l'amour qui se cache
Mêle de rêverie et de solennité !

« D'autres auront nos champs, nos sentiers, nos retraites ;
Ton bois, ma bien-aimée, est à des inconnus.
D'autres femmes viendront, baigneuses indiscrètes,
Troubler le flot sacré qu'ont touché tes pieds nus !

« Quoi donc ! c'est vainement qu'ici nous nous aimâmes !
Rien ne nous restera de ces coteaux fleuris
Où nous fondions notre être en y mêlant nos flammes !
L'impassible nature a déjà tout repris.

« Oh ! dites-moi, ravins, frais ruisseaux, treilles mûres,
Rameaux chargés de nids, grottes, forêts, buissons,
Est-ce que vous ferez pour d'autres vos murmures ?
Est-ce que vous direz à d'autres vos chansons ?

« Nous vous comprenions tant ! doux, attentifs, austères.
Tous nos échos s'ouvraient si bien à votre voix !
Et nous prêtions si bien, sans troubler vos mystères,
L'oreille aux mots profonds que vous dites parfois !

« Répondez, vallon pur, répondez, solitude,
O nature abritée en ce désert si beau,
Lorsque nous dormirons tous deux dans l'attitude
Que donne aux morts pensifs la forme du tombeau,

« Est-ce que vous serez à ce point insensible
De nous savoir couchés, morts avec nos amours,
Et de continuer votre fête paisible,
Et de toujours sourire et de chanter toujours ?

« Est-ce que, nous sentant errer dans vos retraites,
Fantômes reconnus par vos monts et vos bois,
Vous ne nous direz pas de ces choses secrètes
Qu'on dit en revoyant des amis d'autrefois ?

« Est-ce que vous pourrez, sans tristesse et sans plainte,
Voir nos ombres flotter où marchèrent nos pas,
Et la voir m'entraîner, dans une morne étreinte,
Vers quelque source en pleurs qui sanglote tout bas ?

« Et s'il est quelque part, dans l'ombre où rien ne veille,
Deux amants sous vos fleurs abritant leurs transports,

Ne leur irez-vous pas murmurer à l'oreille :
— Vous qui vivez, donnez une pensée aux morts !

« Dieu nous prête un moment les prés et les fontaines,
Les grands bois frissonnants, les rocs profonds et sourds,
Et les cieux azurés et les lacs et les plaines,
Pour y mettre nos cœurs, nos rêves, nos amours ;

« Puis il nous les retire. Il souffle notre flamme ;
Il plonge dans la nuit l'antre où nous rayonnons ;
Et dit à la vallée, où s'imprima notre âme,
D'effacer notre trace et d'oublier nos noms.

« Eh bien ! oubliez-nous, maison, jardin, ombrages !
Herbe, use notre seuil ! ronce, cache nos pas !
Chantez, oiseaux ! ruisseaux, coulez ! croissez, feuillages !
Ceux que vous oubliez ne vous oublieront pas.

« Car vous êtes pour nous l'ombre de l'amour même !
Vous êtes l'oasis qu'on rencontre en chemin !
Vous êtes, ô vallon, la retraite suprême
Où nous avons pleuré nous tenant par la main !

« Toutes les passions s'éloignent avec l'âge,
L'une emportant son masque et l'autre son couteau,
Comme un essaim chantant d'histrions en voyage
Dont le groupe décroît derrière le coteau.

« Mais toi, rien ne t'efface, amour ! toi qui nous charmes,
Toi qui, torche ou flambeau, luis dans notre brouillard !
Tu nous tiens par la joie, et surtout par les larmes.
Jeune homme on te maudit, on t'adore vieillard.

« Dans ces jours où la tête au poids des ans s'incline,
Où l'homme, sans projets, sans but, sans visions,
Sent qu'il n'est déjà plus qu'une tombe en ruine
Où gisent ses vertus et ses illusions ;

« Quand notre âme en rêvant descend dans nos entrailles,
Comptant dans notre cœur, qu'enfin la glace atteint,
Comme on compte les morts sur un champ de batailles,
Chaque douleur tombée et chaque songe éteint.

« Comme quelqu'un qui cherche en tenant une lampe,
Loin des objets réels, loin du monde rieur,
Elle arrive à pas lents par une obscure rampe
Jusqu'au fond désolé du gouffre intérieur ;

« Et là, dans cette nuit qu'aucun rayon n'étoile,
L'âme, en un repli sombre où tout semble finir,

Sent quelque chose encor palpiter sous un voile... —
C'est toi qui dors dans l'ombre, ô sacré souvenir ! »

3. LAMARTINE
DANS UNE DOUBLE PERSPECTIVE

L'évolution du jugement de Balzac sur l'importance et le rôle
de l'œuvre lamartinienne, analysé par un critique contemporain
(Pierre Barbéris, *Balzac, une mythologie réaliste,* collection
« Thèmes et Textes », Larousse, 1971).

En juin 1821, Balzac écrit à sa sœur Laure :

> Tu pourras m'écrire encore une fois à Villeparisis avant que
> je parte pour la Touraine ; je n'y vais que le 28 ou le 30 de
> juin. Je t'écrirai une ou deux fois pendant mon voyage de
> Touraine où je tâcherai de faire des poésies romantiques pour
> me faire épouser comme M. de Lamartine. Il a composé une
> rêverie intitulée *le Lac,* et tu sais qu'il était en Italie pour
> rétablir sa santé. Il tombe chez lui une Anglaise qui lui dit :
> « Voû aîtes Mau chieu de La Mertîne ! ché vien aipousé vous,
> pâ ce que ché aîme peaucoupe vôtre Lâque, et ché daune à
> vou vin quât heûr por vous décidé, et che vous empaurte dan
> le Angleter por mon méri, si vou le foulez » — Lamartine
> pour se débarrasser de cette folle, prit des chevaux de poste
> et s'en fut à Naples. L'Anglaise qui le guettait paya les pos-
> tillons grassement et prit 3 chevaux et elle arriva à Naples
> avant lui ; il se croyait délivré, quand, cinq ou six minutes
> avant l'expiration du délai, Milady reparaît, disant : « Avré
> vou réflaichis ? Je ai 15 000 livres sterling de revenu, foulez
> vou meu épousair ?... » Ce qu'il fit. Or, si on l'a épousé pour
> la lune, je vais moi chanter le soleil et comme ses rayons sont
> bien plus violents que ceux de la lune, j'espère que ma milady
> aura bien plus de rentes que celle-là. C'est-i [sic] un frère qui
> jase, et raconte toutes les nouvelles, et au besoin en fait, car
> je me reconnais pour un peu exagéré. Depuis que je m'en
> suis aperçu, je me tiens en garde contre l'intempérance de
> l'imagination.

L'année suivante, c'est l'idylle avec Mme de Berny. On trouve
alors dans ses papiers toute une suite dans le style de Lamartine
et autres angélistes :

> La vierge des mourants d'une main consolante,
> Guide de cet amant la démarche tremblante,
>   Il arrive à la cime,
> Sur le sein de la vierge il repose sa tête.

Ou bien :

> Du sein de ces torrents de gloire et de lumière,
> Où, sur des sistres d'or, les anges attentifs,
> Aux pieds de Jéhova redisent la prière
>   De nos astres plaintifs,
> Souvent un chérubin à chevelure blonde
> Voilant l'éclat de Dieu sur son front arrêté,
> Laisse aux parvis des cieux son plumage argenté
>   Et descend sur le monde

Dans *Illusions perdues,* ce sont ces propres vers, que Balzac écrivait en 1822, que récite à Angoulême Lucien Chardon dit de Rubempré dans le salon de Mme de Bargeton :

A Elle

> Du sein de ces torrents de gloire et de lumière
> Où, sur des sistres d'or, les anges attentifs,
> Aux pieds de Jéhova redisent la prière
>   De nos astres plaintifs ;
> Souvent un chérubin à chevelure blonde
> Voilant l'éclat de Dieu sur son front arrêté,
> Laisse aux parvis des cieux son plumage argenté,
>   Et descend sur le monde.

Balzac devait expliquer à Mme Hanska que ces vers avaient été écrits en 1842 pour la fille de Mme de Berny. Il est assuré que ceci n'est pas exact, mais l'Étrangère était jalouse de la Dilecta et il fallait bien brouiller les cartes. L'important toutefois est que le jeune Balzac non seulement ne s'en soit pas tenu à ses moqueries de 1821, mais encore que, par deux fois, comme poète et comme romancier, il s'en soit servi et y ait recouru : pour s'exprimer, pour exprimer le monde et ses rapports. En 1822, c'est la grande poussée du sentiment. En 1836, c'est un tableau, et Lamartine est utilisé *contre*. Contre qui? Le texte d'*Illusions perdues* est clair : contre les mondains, contre les utilitaristes, contre les bourgeois. Il suffit d'écouter les commentaires de du Châtelet, homme de l'Empire :

> — C'est des vers comme nous en avons tous plus ou moins fait au sortir du collège, répondit le baron d'un air ennuyé pour obéir à son rôle de jugeur que rien n'étonnait.

Autrefois nous donnions dans les brumes ossianiques. C'était des Malvina, des Fingal, des apparitions nuageuses, des guerriers qui sortaient de leurs tombes avec des étoiles au-dessus de leurs têtes. Aujourd'hui, cette friperie poétique est remplacée par Jéhova, par les sistres, par les anges, par les plumes des séraphins, par toute la garde-robe du paradis remise à neuf avec les mots immense, infini, solitude, intelligence. C'est des lacs, des paroles de Dieu, une espèce de panthéisme christianisé, enrichi de rimes rares, péniblement cherchées, comme émeraude et fraude, aïeul et glaïeul, etc. Enfin, nous avons changé de latitude : au lieu d'être au nord, nous sommes dans l'orient : mais les ténèbres y sont tout aussi épaisses.

— Si l'ode est obscure, dit Zéphirine, la déclaration me semble très claire.

— Et l'armure de l'archange est une robe de mousseline assez légère, dit Francis.

Voilà comment, dans ce monde, on comprend une parole qui cherche à se faire entendre. Et aussitôt, de l'autre côté, on tente de la récupérer pour l'ordre, tandis que la ridiculise une bécasse de province :

Quand vous serez arrivé dans la sphère impériale où trônent les grandes intelligences, souvenez-vous des pauvres gens déshérités par le sort, dont l'intelligence s'annihile sous l'oppression d'un azote moral et qui périssent après avoir constamment su ce qu'était la vie sans pouvoir vivre, qui ont eu des yeux perçants et n'ont rien vu, de qui l'odorat était délicat et qui n'ont senti que des fleurs empestées. Chantez alors la plante qui se dessèche au fond d'une forêt, étouffée par des lianes, par des végétations gourmandes, touffues, sans avoir été aimée par le soleil, et qui meurt sans avoir fleuri ! Ne serait-ce pas un poème d'horrible mélancolie, un sujet tout fantastique ? Quelle composition sublime que la peinture d'une jeune fille née sous les cieux de l'Asie, ou de quelque fille du désert transportée dans quelque froid pays d'Occident, appelant son soleil bien-aimé, mourant de douleurs incomprises, également accablée de froid et d'amour ! Ce serait le type de beaucoup d'existences.

— Vous peindriez ainsi l'âme qui se souvient du ciel, dit l'Évêque, un poème qui doit avoir été fait jadis, je me suis plu à en avoir un fragment dans le Cantique des Cantiques.

— Entreprenez cela, dit Laure de Rastignac en exprimant une naïve croyance au génie de Lucien.

— Il manque à la France un grand poème sacré, dit l'Évêque. Croyez-moi ? La gloire et la fortune appartiendront à l'homme de talent qui travaillera pour la Religion.

— Il l'entreprendra, Monseigneur, dit madame de Bargeton avec emphase. Ne voyez-vous pas l'idée du poème pointant déjà comme une flamme de l'aurore, dans ses yeux ?

— Naïs nous traite bien mal, disait Fifine. Que fait-elle donc ?

— Ne l'entendez-vous pas ? répondit Stanislas. Elle est à cheval sur ses grands mots qui n'ont ni queue ni tête.

Voici qui suffit en apparence à dire et le destin du romantisme et sa signification. Mais attendons la fin.

Dans *les Paysans*, le greffier Gourdon est un « joueur excessivement fort au bilboquet ». La manie de ce jeu a engendré chez lui une autre manie, « celle de chanter ce jeu, qui fit fureur au XVIIIᵉ siècle ».

Les manies chez les médiocrates vont souvent deux à deux. Gourdon jeune accoucha de son poème sous le règne de Napoléon. N'est-ce pas vous dire à quelle école saine et prudente il appartenait ? Luce de Lancival, Parny, Saint-Lambert, Rouché, Vigée, Andrieux, Berchoux étaient ses héros. Delille fut son dieu jusqu'au jour où la première société de Soulanges agita la question de savoir si Gourdon ne l'emportait pas sur Delille, que dès lors le greffier nomma toujours *monsieur l'abbé* Delille, avec une politesse exagérée.

Les poèmes accomplis de 1780 à 1814 furent taillés sur le même patron, et celui sur le bilboquet les expliquera tous. Ils tenaient un peu du tour de force. *Le Lutrin* est le Saturne de cette abortive génération de poèmes badins, tous en quatre chants à peu près, car, d'aller jusqu'à six, il était reconnu qu'on fatiguait le sujet.

Ce poème de Gourdon, nommé *la Bilboquéide*, obéissait à la poétique de ces œuvres départementales, invariables dans leurs règles identiques ; elles contenaient dans le premier chant la description de la chose chantée, en débutant, comme chez Gourdon, par une invocation dont voici le modèle :

Je chante ce doux jeu qui sied à tous les âges,
Aux petits comme aux grands, aux fous ainsi
                        [qu'aux sages ;
Où notre agile main, au front d'un buis pointu,
Lance un globe à deux trous dans les airs suspendu.
Jeu charmant, des ennuis infaillible remède
Que nous eût envié l'inventeur Palamède !
O Muse des Amours et des Jeux et des Ris,
Descends jusqu'à mon toit, où, fidèle à Thémis,
Sur le papier du fisc, j'espace des syllabes.
Viens charmer...

Après avoir défini le jeu, décrit les plus beaux bilboquets connus, avoir fait comprendre de quel secours il fut jadis au commerce du Singe-Vert et autres tabletiers ; enfin, après avoir démontré comment le jeu touchait à la statique, Gourdon finissait son premier chant par cette conclusion qui vous rappellera celle du premier chant de tous ces poèmes :

C'est ainsi que les Arts et la Science même
A leur profit enfin font tourner un objet
Qui n'était de plaisir qu'un frivole sujet.

Le second chant destiné comme toujours à dépeindre la manière
de se servir de l'*objet*, le parti qu'on en pouvait tirer, auprès des
femmes et dans le monde, sera tout entier deviné par les amis de
cette sage littérature, grâce à cette citation, qui peint le joueur faisant ses exercices sous les yeux de l'*objet aimé* :

> Regardez ce joueur, au sein de l'auditoire,
> L'œil fixé tendrement sur le globe d'ivoire,
> Comme il épie et guette avec attention
> Ses moindres mouvements dans leur précision !
> La boule a, par trois fois, décrit sa parabole,
> D'un factice encensoir, il flatte son idole ;
> Mais le disque est tombé sur son poing maladroit,
> Et d'un baiser rapide il console son doigt.
> Ingrat ! ne te plains pas de ce léger martyre,
> Bienheureux accident, trop payé d'un sourire !
> . . . .

Le troisième chant renfermait le conte obligé, l'anecdote célèbre
qui concernait le bilboquet. Cette anecdote, tout le monde la sait
par cœur, elle regarde un fameux ministre de Louis XVI ; mais,
selon la formule consacrée dans les *Débats* de 1810 à 1814, pour
louer ces sortes de travaux publics, *elle empruntait des grâces
nouvelles à la poésie et aux agréments que l'auteur avait su y
répandre.*

Le quatrième chant, où se résumait l'œuvre, était terminé par cette
hardiesse inédite de 1810 à 1814, mais qui vit le jour en 1824,
après la mort de Napoléon :

> Ainsi j'osais chanter en des temps pleins d'alarmes.
> Ah ! si les rois jamais ne portaient d'autres armes,
> Si les peuples jamais, pour charmer leurs loisirs,
> N'avaient imaginé que de pareils plaisirs ;
> Notre Bourgogne, hélas, trop longtemps éplorée,
> Eût retrouvé les jours de Saturne et de Rhée !
> . . . .

Mais, un jour, Gourdon apprend une nouvelle à ses amis :

— Savez-vous une singulière nouvelle ? [...] il y a *un autre
poète* en Bourgogne !... Oui, reprit-il en voyant l'étonnement
général peint sur les figures, il est de Mâcon. Mais, vous
n'imagineriez jamais *à quoi il s'occupe ?* Il met les nuages en
vers...

— Ils sont pourtant déjà très bien en *blanc,* répondit le
spirituel père Guerbet.

— C'est un *embrouillamini* de tous les diables ! Des lacs, des
étoiles, des vagues !... Pas une seule image raisonnable, pas
une intention didactique ; il ignore les sources de la poésie.

Il appelle le ciel par son nom. Il dit la lune bonacement, au lieu de *l'astre des nuits*. Voilà pourtant jusqu'où peut nous entraîner le désir d'être original! s'écria douloureusement Gourdon. Pauvre jeune homme! Être Bourguignon et chanter l'eau, cela fait de la peine! S'il était venu me consulter, je lui aurais indiqué le plus beau sujet du monde, un poème sur le vin, la Bacchéide! pour lequel je me sens présentement trop vieux.

Ce grand poète ignore encore le plus beau de ses triomphes (encore le dut-il à sa qualité de Bourguignon) : avoir occupé la ville de Soulanges, qui de la pléiade moderne ignore tout, même les noms.

Tout le Balzac à la fois plébéïen — qui appelle les choses par leur nom, qui se refuse à faire des mines — et critique — qui saute et fait sauter d'un bond hors du cercle des certitudes et de la bonne conscience libérales et bourgeoises — est dans ce morceau de bravoure de 1844. En 1821, alors que Villèle est sur le point de devenir premier ministre et que toute la gauche est mobilisée, le jeune homme non pourvu, sans style, lui, qui a sa fortune à faire et ne dispose pas d'anglaise, démasque un style aristocratique dont il ne voit pas, dont il ne peut pas ou ne veut pas voir toutes les charges potentielles. Ces poètes de sacristie parlent de clair de lune et prétendent mourir, mais ils se font épouser par de riches étrangères et ils ont un bel avenir dans la diplomatie. Canalis paiera ici la rogne d'Honoré. Mais en 1844, le même Balzac qui s'en prend à la médiocratie et au nouveau pouvoir des bourgeoisies locales (l'usure d'abord, l'administration ensuite, tout un pays quadrillé, toute une féodalité nouvelle installée) dit bien que ces gens ont eu et ont *leur* littérature, *leur* poésie : littérature et poésie didactiques, descriptives, à base de bien dire et d'habileté, sagement à leur place dans un cercle et dans une pratique sociale, jeu pour le soir, comme le tric-trac, la mouche ou le bilboquet, ne crevant jamais la trame des apparences et du convenu, poésie non de recherche, d'évasion, de parole et de liberté, mais bien poésie d'exercice et de ron-ron. *La Bilboquéide* de Gourdon, c'est déjà, tout juste un peu moins mécanisée et encore illusoirement littéraire, le tour de Binet dans *Madame Bovary*. Quant au coup de chapeau à Lamartine, c'est Balzac lui-même qui mesure, le temps écoulé, quelle avait pu être la véritable signification et la véritable efficacité des élégies de 1820. Si Balzac s'en était tenu à la réaction un peu courte de 1821, il aurait rejoint la troupe du conformisme bourgeois qui ne pouvait opposer au style romantique que son propre prosaïsme, vite devenu et vite avoué non plus expression d'un humanisme et d'un réalisme en son affirmation et en son progrès, mais cache-misère d'une terrible indigence. La poésie du bilboquet et le culte de Delille sont la « culture » de ceux qui ont député à la Constituante, qui se sont asservis les paysans de la vallée des Aigues et qui vivent parqués dans leur petit univers moral. Contre eux témoigne et continue de témoigner « cet *embrouillamini* de tous les diables » qui dit l'infinie richesse et l'infinie complexité du monde par-delà les fossilisations et les féodalités. Puissance de la littérature.

Mais pas toute et pas unique puissance. Puissance d'un moment en effet, et limitée, puissance qui n'a de sens que dans le cours d'une Histoire lue et comprise en tant qu'Histoire. Le salut à l'idéal (quel Marcas, quel Raphaël, quel Albert Savarus, quel Lucien Chardon n'a pas lu Lamartine, après Chénier, dans sa mansarde, dans sa jeunesse ou à l'occasion ?) fait partie de la lecture et de la reconnaissance de l'Histoire. Histoire faite. Histoire aussi qui se fait. Aussitôt en effet Balzac ajoute :

> Une centaine de Gourdons chantaient sous l'Empire, et l'on accuse ce temps d'avoir négligé les lettres !... Consultez le *Journal de la Librairie,* et vous y verrez des poèmes sur le Tour, sur le jeu de Dames, sur le Tric-trac, sur la Géographie, sur la Typographie, la Comédie, etc. ; sans compter les chefs-d'œuvre tant prônés de Delille sur la Pitié, l'Imagination, la Conversation ; et ceux de Berchoux sur la Gastronomie, la Dansomanie, etc. Peut-être dans cinquante ans se moquera-t-on des mille poèmes à la suite des *Méditations,* des *Orientales,* etc. Qui peut prévoir les mutations du goût, les bizarreries de la vogue et les transformations de l'esprit humain ! Les générations balayent en passant jusqu'au vestige des idoles qu'elles trouvent sur leur chemin, et elles se forgent de nouveaux dieux qui seront renversés à leur tour.

Ceci n'est en rien coup de pied de l'âne aux grands confrères. Simplement Balzac repère avec lucidité quelle est la fonction et quel est le rôle de la littérature. Il y a toujours d'abord conquête et nouveauté, puis sclérose et vieillissement : conquête avaient été la culture et le style selon les classiques, échappés à la pesanteur et à la grossièreté ; mais conquête aussi avait été (et en partie demeurait) la parole poétique selon le romantisme, avec sa grande redécouverte des symboles : l'eau, le vent, l'espace. Nulle littérature, nulle poésie n'est jamais pour toujours acquise et constituée, sacrée ; elle en vient toujours à fonctionner selon une rhétorique refroidie, à s'appuyer non sur des âmes, mais sur des structures et sur des institutions. On fera du Lamartine longtemps dans les salons de province comme on y avait fait du Delille et du Lebrun-Pindare : seule une anthropologie du fait littéraire et culturel peut rendre compte de cette réalité, faire admettre qu'il y ait là non pas valeur, mais réalité. L'idéalisme, au contraire, qui tient aux formes pour l'éternel et souhaite arrêter l'histoire, ne saurait voir que toute la richesse de l'invention humaine se trouve dans sa perpétuelle et nécessaire relativité. Peut-on lire encore Lamartine et Chénier comme on les avait lus dans les années vingt ? En un sens non, mais on peut les retrouver, chacun à son tour avec les bénéfices et les risques s'inscrivant dans l'Histoire. Tel est le rôle du romancier historien, et tel est le rôle et l'aptitude de l'homme qui voit le réel. Le romantisme doit être mis à sa place, non lumière définitive et qui dispenserait de chercher encore et plus loin et par-delà, mais moment, moment plein et relatif à la fois, pour les individus, et pour le regard et la lecture. Le romantisme, pour Balzac, invention fière et action, n'est aussi que passage et désormais élément d'un décor et d'un mobilier. Rien de ce qu'on a aimé n'est à jamais univoque, valable et fixant l'Histoire. Mais rien non plus de ce qui a fait partie du décor ou des complaisances d'un siècle n'était non plus de toute éternité et à jamais privé de signification. Il fallait finir par comprendre Lamartine. Il fallait aussi finir par le remettre à sa vraie place. Delille avait été le poète de ce qui finissait ; il fallait aussi comprendre ce que jadis il avait aidé à cerner. Ainsi l'on sort d'affaire, révolte et réalisation, effort et réalisme fonctionnant au sein d'une Histoire non pas tant réconciliée et réunifiée que, de manière réaliste et responsable, relancée et resignifiée. Le romantisme est plus qu'une simple mode ou une simple agression. Le romantisme n'est pas toute la terre promise et même doit servir à démystifier l'idée de terre promise : Balzac détruit ici aussi bien toute image sacrale que toute image sceptique de la littérature. Par-delà les textes d'un moment, ce qui compte c'est la vie qui successivement promeut, déclasse et fait signifier.

JUGEMENTS SUR LES « MÉDITATIONS »

Les raisons d'un succès.

Les Méditations valurent à Lamartine la célébrité. Quelles étaient les causes de cette gloire soudaine?

Au lendemain de la publication, Victor Hugo s'écriait :

Voilà enfin des poésies qui sont d'un poète, des poésies qui sont de la poésie.

Ce succès s'étendit même à l'étranger.

Peu de temps après son apparition, ce chef-d'œuvre faisait rage en Russie, on s'en disputait les rares exemplaires, on copiait des fragments, on les apprenait; les dames surtout en raffolaient.

Alton-Shée,
Mémoires, Ire partie (1826).

Beaucoup plus tard, Sainte-Beuve écrivait à Verlaine :

Non, ceux qui n'en ont pas été témoins ne sauraient s'imaginer l'impression vraie, légitime, ineffaçable que les contemporains ont reçue des *Premières Méditations* de Lamartine, au moment où elles parurent. [...] Il faut bien peu d'efforts, surtout si l'on se reporte un moment aux poésies d'alentour, pour sentir ce que ces élégies et ces plaintes de l'âme avaient de puissance voilée sous leur harmonie éolienne et pour reconnaître qu'elles apportaient avec elles le souffle nouveau. Notre point de départ est là.

Sainte-Beuve,
Causeries du lundi, tome IX (1865).

L'approbation ne fut cependant pas unanime :

On a osé me dire beaucoup de mal de Lamartine et je l'ai défendu avec votre suffrage autant qu'avec le mien. On l'appelle le poète des prosateurs et l'on ne se doute pas de l'éloge que renferme ce jugement.

Frédéric Soumet,
Lettre à J. de Rességuier et à Guiraud (5 juillet 1820).

Mais l'originalité de Lamartine apparut dès l'abord :

Il a donné à l'âme ce qu'il a ôté à l'imagination et à l'esprit ce qu'il a ôté aux sens.

Le Conservateur (mars 1820).

Avec quelques restrictions, un critique plus récent précise ce que le recueil apportait de nouveau :

Lamartine n'a pas le sentiment de faire, en littérature, œuvre révolutionnaire avec ses *Méditations*. Il n'a point renié Parny. Il demeure consciemment et profondément classique. La langue qu'il emploie le prouve assez. [...] C'est bien la lignée, toujours, des élégiaques et des rimeurs éloquents du siècle qui vient de finir. [...] Mais c'était tout de même une révélation. [...] Un homme parlait, là où l'on avait coutume de n'entendre, depuis bien longtemps, que des virtuoses trop habiles, des spécialistes sans âme, d'industrieux techniciens. [...] Son art, c'était surtout cela : cette authenticité profonde, cette sincérité essentielle. Il se livrait, il s'engageait; et chacun sentait bien qu'il avait devant soi, avec ce poète inconnu la veille, quelqu'un dont la présence désormais l'accompagnerait.

Henri Guillemin,
Lamartine, l'homme et l'œuvre (1940).

A en croire un autre critique du XXe siècle, l'œuvre plut précisément parce qu'elle n'était pas révolutionnaire :

Tout ce qu'ils conservaient de la tradition des derniers siècles, tout ce qu'ils espéraient confusément du nouveau, les hommes de 1820 le trouvèrent à la fois dans les *Méditations*.

Rien n'était agressif dans cette œuvre de génie, qui allait cependant renouveler toute notre littérature. [...] Ce qui scandalise le plus l'opinion des lettrés, ce sont les révolutions dans la forme. [...] Ici, la forme n'a rien qui étonne. Avec les *Méditations*, les contemporains crurent assister à l'épanouissement, si longtemps retardé, du lyrisme racinien. [...] La « poétique » des *Méditations* est profondément classique. Les sentiments y sont aussi généralisés que dans la tragédie racinienne, et dépouillés de toute anecdote.

Jean des Cognets,
la Vie intérieure de Lamartine (1913).

Victor Hugo discerne cependant ce que les Méditations ajoutent au classicisme, en les comparant à l'œuvre de Chénier :

Lamartine est plus grave et plus mystique, il a pris souvent le style des Pères et des Prophètes.

Victor Hugo,
article du *Conservateur littéraire* (15 avril 1820).

Jean des Cognets insiste sur deux aspects de Lamartine que l'on apprécia dans les Méditations :

Un poète royaliste et chrétien d'abord. [...] Un poète d'amour enfin, et c'est celui-là que *sentit* le grand public et qui emporta la part de beaucoup la plus large et la plus décisive de l'immense succès.

Jean des Cognets,
Introduction aux *Méditations* (1956).

Les causes d'un déclin.

On avait, dès le début, discuté la valeur morale de l'inspiration larmartinienne :

[Les *Méditations*] ne sont que l'hymne du découragement, du scepticisme et de l'inaction. Les conséquences rigoureuses en seraient : en religion, la mysticité sans conviction et sans pratique; en morale, la sensibilité sans vertu; en politique, la soumission sans examen.

Charles Rémusat,
dans le *Globe* (1820).

D'après Sainte-Beuve, les Méditations *ne faisaient qu'exprimer l'état d'âme d'une époque, et, par là même, étaient destinées à un oubli progressif :*

La poésie des *Méditations* est noble, volontiers sublime, éthérée et harmonieuse, mais vague; quand les sentiments généraux et flottants auxquels elle s'adressait auront fait place à un autre souffle et à d'autres courants, quand la maladie morale qu'elle exprimait à la fois et qu'elle charmait, qu'elle caressait avec complaisance, aura complètement cessé, cette poésie sera moins sentie et moins comprise, car elle n'a pas pris soin de s'encadrer et de se personnifier sous des images réelles et visibles, telles que les aime la race française, peu idéale et peu mystique dans sa nature.

Sainte-Beuve,
Causeries du lundi, tome VII (1853).

Cette inspiration sentimentale devait provoquer de nombreuses imitations :

Les plaignards et les niais suivent de près les sensibles. « Le Lac » de Lamartine a eu ses cascades à l'infini, et a formé quantité de petits lacs au-dessous, avec des couples d'amants soupirant leurs barcarolles. C'est par impatience de toutes ces fades copies et de ces répétitions serviles qu'Alfred de Musset, dans le préambule de *la Coupe et les lèvres* [...], s'écriait :

> Mais je hais les pleurards, les rêveurs à nacelles,
> Les amants de la nuit, des lacs, des cascatelles.

Sainte-Beuve,
Causeries du lundi, tome XIV (1857).

Une réhabilitation.

Lamartine s'est-il donc démodé avec le romantisme? La question est posée à notre époque :

Les *Méditations* peuvent-elles rester pour nous ce qu'elles étaient pour les contemporains? Reconnaissons d'abord que, sur les vingt-quatre pièces du volume primitif, il n'en est que quatre qui réalisent encore pour nous, avec une pureté intacte, cette note de poésie pure [...] : ce sont « l'Isolement », « le Vallon », « le Lac » et « l'Automne », quatre thèmes en stances pour l'amour et la solitude.

Albert Thibaudet,
Histoire de la littérature française de 1789 à nos jours (1936).

Quant aux poèmes philosophiques, ils ne sont pour Thibaudet que les « discours religieux qu'on attendait », œuvre d' « un Byron français, repenti et chrétien appelé par les salons ».

Mais d'autres critiques reconnaissent l'aspect positif de cette inspiration :

Elle est capable aussi d'actes de foi, cette âme volontiers dolente, elle ne fait pas que gémir, elle affirme, avec une énergie, un emportement qui manifestent sa vitalité profonde. [...] Loin de vouloir entraîner tout l'univers dans sa désespérance, elle aspire à une sécurité consolante et elle affirme sa confiance dans l'éternelle justice.

Paul Hazard,
Lamartine (1925).

Le caractère vivant de cette poésie philosophique est souligné en ces termes :

Tandis que les systèmes philosophiques apparaissent d'ordinaire séparés du philosophe, nous apprécions toute l'influence que les émotions du poète eurent sur sa pensée. La mort d'Elvire nous aide à comprendre le pessimisme d'abord, la doctrine de l'amour ensuite. La philosophie n'est plus seulement l'œuvre de l'esprit ; elle est l'œuvre de l'homme tout entier, et si elle perd la beauté sévère de l'abstraction, comme la poésie même, elle devient vivante. Mais en devenant vivante, ne devient-elle pas originale ? [...] Les *Méditations* vivent de la vie du poète ; et cette vie est distincte entre toutes. Lamartine sut plier sa doctrine aux sublimes exigences de ses sentiments personnels et de son tempérament poétique. Vînt-elle d'ailleurs, il a le droit de dire : Ma philosophie appartient à moi seul. Mes émotions, [...] mes images, mes rythmes l'ont rendue mienne.

Marc Citoleux,
la Poésie philosophique au XIXe siècle (1905).

N'est-ce pas la vie de l'âme qu'elle exprime ?

Qu'il est riche de sens, ce mot de *Méditation*, et qu'il exprime pleinement le caractère de l'œuvre lamartinienne ! Il suggère les plaisirs

et les mélancolies de la solitude et du silence, le sens et le tourment
de la destinée humaine, la peur et le dégoût du monde, la langueur
exquise des rêveries, l'ivresse de la vie intérieure.

Ernest Zyromski,
Lamartine, poète lyrique (1877).

*Cette poésie tout intérieure n'annoncerait-elle pas certaines tendances
beaucoup plus proches de nous ?*

Avec Lamartine on arrive donc à cette chose nouvelle, déconcer-
tante, peut-être contradictoire, une poésie sans presque plus de
formes externes, une poésie, par conséquent, de l'informe.

Mais une poésie qui s'enfonce dans l'informe devient rapidement
inexprimable. [...]

L'impuissance de Lamartine n'est pas si différente qu'il semble à
première vue de la stérilité de Mallarmé. Leur tourment est le même.
La poésie de l'informe devient une sorte d'épanchement volubile,
non moins futile et sans substance que la contemplation muette de la
page blanche.

Georges Poulet,
dans la *Nouvelle Revue française* (août 1961).

*Sans pousser aussi loin le modernisme de Lamartine, on peut résumer
ainsi les faiblesses et les mérites des Méditations :*

Qu'il s'agisse du vocabulaire, des figures de style, du vers lui-
même, Lamartine, en effet, n'innove guère [...]. Il multiplie les périphrases et les inversions [...]. Mais [...] le technicien du vers et de
la strophe est en Lamartine cent fois plus exigeant que l'usager du
langage. Voilà qui nous donne une indication précieuse sur son art :
un art qui sera musical plutôt qu'intellectuel, qui saura mieux rendre
et communiquer des impressions qu'exprimer avec force des idées.
Par là ce poète au parler traditionnel échappe au néo-classicisme
à qui, en apparence, il doit tout. [...] Pas plus qu'une confession, les
Méditations ne sont un album d'images. Dans les plus beaux poèmes,
complète est la fusion entre la nature, l'homme qui la contemple
et le lecteur qui sent et imagine un paysage à travers les sentiments
que le poète éveille en lui.

Marius François Guyard,
Introduction aux *Œuvres poétiques* de Lamartine (1963).

SUJETS D'EXPOSÉS ET DE DISSERTATIONS

● Comparez « l'Homme » aux *Pensées* de Pascal sur la misère et la grandeur de la condition humaine, et essayez de préciser la personnalité de Lamartine.

● Les idées religieuses de Lamartine dans les *Premières Méditations*.

● Le sentiment d'exil, ses causes et son remède, dans les *Méditations* de Lamartine et dans les œuvres d'Albert Camus.

● Comparez « le Golfe de Baïa » et « Ischia » : évolution de la personnalité et de l'art de Lamartine.

● Comparez « l'Isolement » et « la Solitude » pour le cadre, l'idée et la tonalité générale, et dégagez l'évolution des sentiments de Lamartine.

● Appliquez aux *Méditations* cette définition de la poésie élégiaque d'Alain : « Nos peines y sont l'objet principal, toujours contenues par la mesure et le ton, et entièrement purifiées du rauque accent personnel » (*Système des beaux-arts*, page 102).

● Expliquez et commentez, en prenant vos exemples dans les *Méditations*, ce jugement d'Alain : « La lamentation n'est point belle; c'est la consolation qui est belle dans le souvenir » (*Système des beaux-arts*, page 101).

● Justifiez cette affirmation de Lamartine, à l'aide d'exemples que vous emprunterez aux *Méditations* : « Dès qu'il n'y avait personne entre mes pensées et moi, Dieu s'y montrait, et je m'entretenais pour ainsi dire avec lui. Voilà pourquoi aussi je revenais facilement de l'extrême douleur à la complète résignation. Toute foi est un calmant, car toute foi est une espérance, et toute espérance rend patient. Vivre, c'est attendre » (*Commentaire de l'Immortalité*, 1849).

● « Les *Méditations* contiennent de longs « discours en vers » sur le mode où Voltaire excellait; « l'Homme », « la Prière », « la Foi », « Dieu » prolongent les *Discours sur l'homme* et l'*Épître à Uranie* » (H. Guillemin, *Lamartine, l'homme et l'œuvre*, page 17). Commentez et discutez ce jugement.

● Étudiez l'alliance du lyrisme et de la philosophie dans les *Méditations* à sujet religieux : « l'Homme », « la Prière », « la Foi », « Dieu ».

● Expliquez et discutez ce jugement de Vigny : « Quant aux *Nouvelles Méditations*, certes l'ensemble est fort inférieur aux premières : le ton est désuni, et l'on a l'air d'avoir réuni toutes les rognures du premier ouvrage » (Lettre à Victor Hugo, 3 octobre 1823).

● André Malraux écrit : « La peinture tend bien moins à voir le monde qu'à en créer un autre » (*les Voix du silence*, page 270). Ne pourrait-on en dire autant de la poésie de Lamartine ?

TABLE DES MATIÈRES

Mame Imprimeurs - 37000 Tours.
Dépôt légal Juin 1975. — Nº 12750. — Nº de série Éditeur 13719.
IMPRIMÉ EN FRANCE *(Printed in France)*. — 870 078 F Janvier 1987.